OXFORD CHILDREN'S

Welsh • English

Visual DICTIONARY

OXFORD
UNIVERSITY PRESS

Cynnwys

Sut mae defnyddio'r llyfr hwn • *How to use this dictionary* 6-7
Cymorth iaith • *Language support* 8-9

Pobl a chartrefi • *People and homes*

Teulu a ffrindiau • *Family and friends* 10-11
Dy gorff • *Your body* 12-13
Tu mewn i'r corf • *Inside your body* 14-15
Synhwyrau a theimladau • *Senses and feelings* 16-17
Cartrefi • *Home* 18-19
Nwyddau tŷ • *Household objects* 20-21

Bwyd a dillad • *Food and clothing*

Bwyd a diod • *Food and drink* 22-23
Pob math o fwyd • *All sorts of food* 24-25
Ffrwythau a llysiau • *Fruit and vegetables* 26-27
Dillad pob dydd • *Everyday clothes* 28-29
Pob math o ddillad • *All sorts of clothes* 30-31

Ysgol a gwaith • *School and work*

Yn yr ysgol • *At school* 32-33
Pob math o waith • *All sorts of work* 34-35
Offer a dillad gwaith • *Work equipment and clothing* 36-37

Chwaraeon a hamdden • *Sport and leisure*

Chwaraeon • *Sports* 38-39
Chwaraeon yn fyw • *Sports in action* 40-41
Chwaraeon a hamdden • *Games and leisure* 42-43

Celfyddyd, cerddoriaeth, ac adloniant • *Art, music, and entertainment*

Celfyddyd• *Art* 44-45
Offerynnau cerdd • *Musical instruments* 46-47
Cerddoriaeth a dawns • *Music and dance* 48-49
Teledu, ffilm, a theatr • *TV, film, and theatre* 50-51
Rhaglenni teledu a ffilmiau • *TV shows and films* 52-53

Teithio a chludiant • *Travel and transport*

Cerbydau teithwyr • *Passenger vehicles* 54-55
Cerbydau gwaith • *Working vehicles* 56-57
Awyrennau • *Aircraft* 58-59
Llongau, cychod, a badau eraill • *Ships, boats, and other craft* 60-61

Contents

Gwyddoniaeth a thechnoleg • *Science and technology*

Ynni a phŵer • *Energy and power* **62-63**
Pob math o ddeunyddiau • *All kinds of materials* **64-65**
Adeiladau a strwythurau • *Buildings and structures* **66-67**
Grymoedd a pheiriannau • *Forces and machines* **68-69**
Cyfrifiaduron a dyfeisiau electronig • *Computers and electronic devices* **70-71**

Anifeiliaid a phlanhigion • *Animals and plants*

Mamaliaid • *Mammals* **72-73**
Anifeiliaid gwaith • *Working animals* **74-75**
Ymlusgiaid ac amffibiaid • *Reptiles and amphibians* **76-77**
Pysgod • *Fish* **78-79**
Creaduriaid y môr • *Sea creatures* **80-81**
Pryfed a thrychfilod bach • *Insects and mini-beasts* **82-83**
Creaduriaid y nos • *Nocturnal creatures* **84-85**
Adar • *Birds* **86-87**
Coed a phrysgwydd • *Trees and shrubs* **88-89**
Pob math o blanhigion • *All sorts of plants* **90-91**

Ein planed a'r amgylchedd • *Planet Earth and the environment*

Trefi a dinasoedd • *Towns and cities* **92-93**
Ar y stryd • *On the street* **94-95**
Yn y wlad • *In the country* **96-97**
Tirweddau a chynefinoedd • *Landscapes and habitats* **98-99**
Tywydd • *The weather* **100-101**
Llygredd a chadwraeth • *Pollution and conservation* **102-103**
Y Ddaear • *Planet Earth* **104-105**

Y gofod a theithio yn y gofod • *Space and space travel*

Cysawd yr haul • *The solar system* **106-107**
Teithio yn y gofod • *Space travel* **108-109**

Cyfrif, rhifau, a mesuriadau • *Counting, numbers, and measurements* **110-111**
Calendr ac amser • *Calendar and time* **112-113**
Lliwiau a siapiau • *Colours and shapes* **114**
Cyferbyniadau a nodi safle • *Opposites and position words* **115**

Mynegai Cymraeg • *Welsh index* **116-121**
Mynegai Saesneg • *English index* **122-127**

Sut mae defnyddio'r llyfr hwn

Mae'r geiriadur hwn yn llawn o eiriau defnyddiol, ac mae hefyd yn llyfr gwybodaeth. Bydd yn dy helpu i ddod i wybod mwy am y byd tra byddi'n dysgu geiriau newydd mewn dwy iaith.

This dictionary is packed with useful words, and it is also an information book. It will help you find out more about the world at the same time as you are learning new words in two languages.

Sut mae wedi ei drefnu? • *How is it organized?*

Mae'r geiriadur wedi ei rannu'n 10 pwnc, yn cynnwys Pobl a chartrefi, Ysgol a gwaith, Anifeiliaid a phlanhigion, Gwyddoniaeth a thechnoleg, a llawer mwy. O fewn pob pwnc ceir tudalennau ar wahanol feysydd, fel Teulu a ffrindiau, Dy gorff, a Synhwyrau a theimladau.

The dictionary is divided into 10 topics, including People and homes, School and work, Animals and plants, and Science and technology. Within each topic there are pages on different subjects, such as Family and friends, Your body, and Senses and feelings.

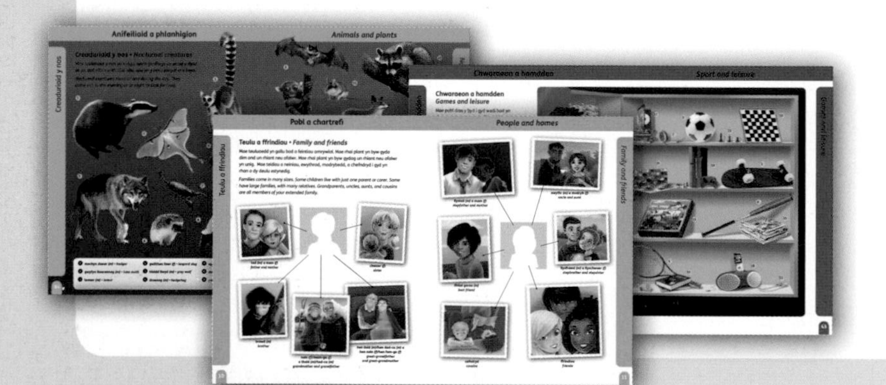

Gelli edrych am bwnc sydd o ddiddordeb arbennig i ti a gweithio reit drwyddo. Neu gelli bigo i mewn i'r geiriadur ble bynnag y byddi awydd.

You can find a topic that specially interests you and work right through it. Or you can dip into the dictionary wherever you want.

Sut mae dod o hyd i air?
How do I find a word?

Mae dwy ffordd o chwilio am air.

There are two ways to search for a word.

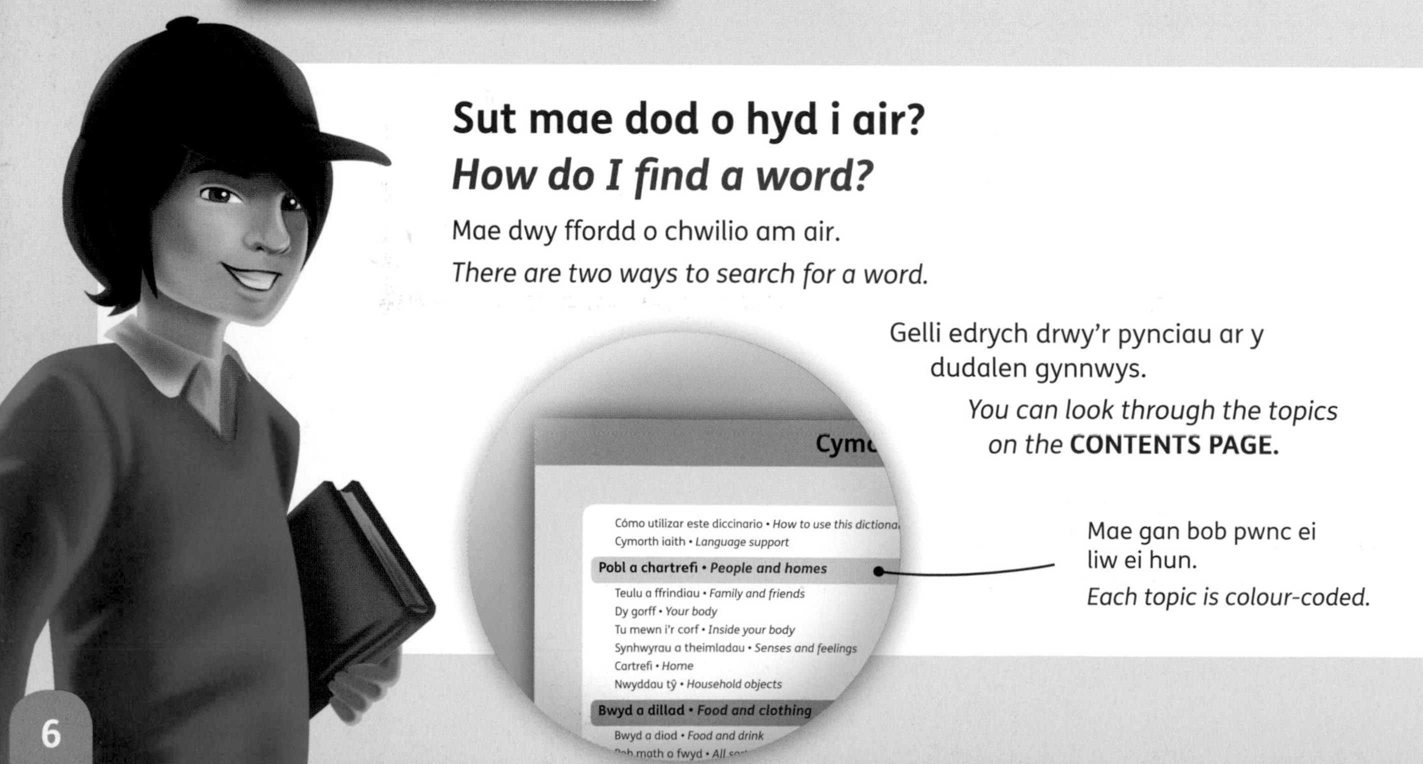

Gelli edrych drwy'r pynciau ar y dudalen gynnwys.

You can look through the topics on the **CONTENTS PAGE.**

Mae gan bob pwnc ei liw ei hun.

Each topic is colour-coded.

Defnyddio'r geiriadur • *Using the dictionary*

Ar bob tudalen, caiff geiriau eu cyflwyno drwy luniau bywiog, golygfeydd, a diagramau wedi eu labelu. Felly mae'n hawdd dod o hyd i'r gair sydd ei angen arnat – a darganfod llawer rhagor o eiriau ar hyd y daith.

On each page, words are introduced through lively images, scenes, and labelled diagrams. So it's easy to find the word you need – and discover many more words along the way.

Paneli nodwedd yn rhoi rhagor o eirfa fanwl.

Feature panels give more in-depth vocabulary.

Bar ochr yn dynodi'r maes.

Side bar identifies the subject.

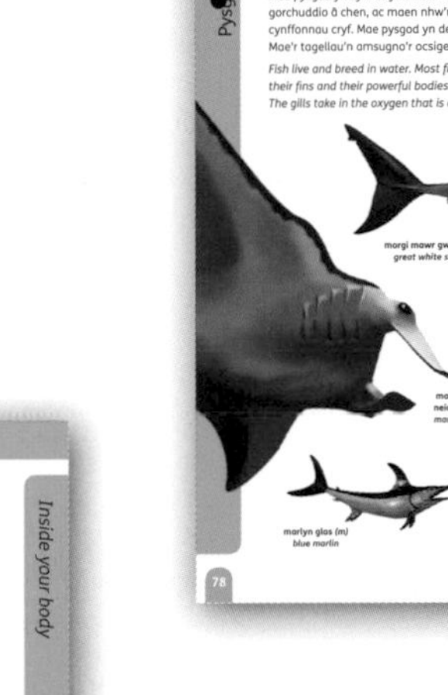

Cyflwyniad yn y ddwy iaith yn rhoi rhagor o wybodaeth am y maes.

Introduction in both languages adds extra information on the subject.

Bar top yn dynodi pwnc yr adran.

Top bar identifies the topic section.

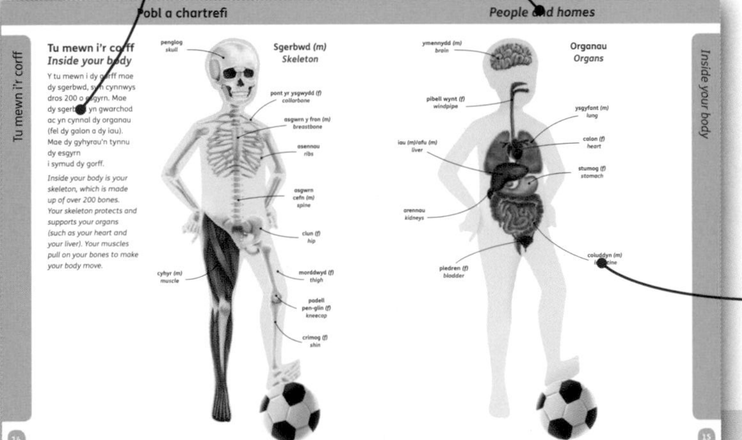

Capsiynau yn rhoi geiriau neu ymadroddion mewn dwy iaith.

Captions provide words or phrases in two languages.

Labeli sy'n helpu i leoli yn fanwl union ystyr gair.

Labels help to pinpoint the exact meaning of a word.

Neu gelli ddefnyddio'r mynegai yng nghefn y llyfr.

Or you can use the ***INDEX*** *at the back of the book.*

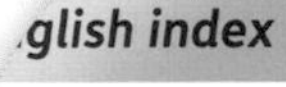

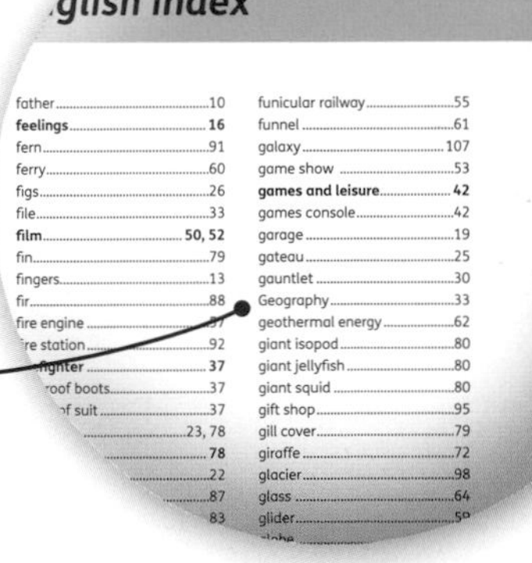

Ceir mynegai yn Saesneg ac yn Gymraeg, er mwyn i ti allu dod o hyd i air yn y naill iaith neu'r llall.

There is an English and a Welsh index, so you can find a word in either language.

Waeth sut y byddi'n cael gafael ar dy air, mwynha chwilota drwy'r lluniau a'r geiriau!

However you find your word, you will have fun exploring pictures and words!

Cymorth iaith

This book is for people learning their first words in Welsh. By looking at the pictures you can learn the words for a whole range of themes.

Most naming words, or nouns, are either masculine or feminine in Welsh (a bit like 'him' and 'her') and this has been shown here by putting *(m)* for masculine or *(f)* for feminine at the end of the translation. Some words can be either masculine or feminine and in these cases you will see *(m/f)* at the end.

No gender (*(m)* or *(f)*) has been given for plural names because there is no consistent pattern for finding the singular. There is no gender either for some terms where gender was not considered important when using the term.

Occasionally, two different words for the same thing have been noted to show the different words used in North and South Wales. Where this happens, the first word is the one used in North Wales and the second, the one used in South Wales, for example, **nain/mam-gu** on page 10. These translations are always separated by a slash (/).

In some other places where there are alternative words for the same one in English and the gender is different for the two, it means that the two words refer to a male and a female, for example, **athro (m), athrawes (f)**. **Athro** is a male teacher and **athrawes** is a female teacher. These translations are always separated by a comma (,).

Welsh has two ways of counting from ten onwards, the traditional method and a decimal system. On page 110, the traditional form is given first (e.g. **un ar ddeg** for eleven) followed by the decimal version (**un deg un**).

There are also feminine forms for numbers two, three and four. Therefore, if a word has *(f)* after it, like **chwaer** (sister), you would use the feminine form for the number, e.g. three sisters is **tair chwaer**. Please note that singular, not plural, names are used after numbers in Welsh.

The first letter of the word after **dau** or **dwy** changes if it is one of the following:

p, t, c, b, d, g, m, ll, rh. Here are the changes:

p > b; t > d; c > g; e.g. two brothers is **dau frawd**; two kitchens is **dwy gegin**.

b > f; d > dd; g disappears in some cases;

m > f; ll > l; rh > r.

Pronunciation

Pronunciation in Welsh is fairly straightforward once you know the basic sounds. Most letters always have the same sound, so here's a quick, basic guide.

There are seven vowels in Welsh – **a, e, i, o, u, w** and **y** and this is how to say them.

a – like the a in cat

e – like the e in then

i – like the i in pin

o – like the o in hot

u – like the ee in been

w – like the oo in zoo

y – can sound like the u in cup or the i in pin

The other letters, apart from the ones below, are pronounced as they are in English. Here are the ones to look out for:

c is always like the c in cat

ch is like the ch in the Scottish loch

dd is pronounced like the th in then

f is like the v in vase

ff is like the English f, as in fan

g is like the g in great

ng is like the ng in gang

ll does not exist in English. To say it, prepare to say l and blow through the side of your mouth!

r is always said clearly as a roll

th is like the th in thin

It is also worth knowing that if a Welsh word has more than one syllable, the stress usually falls on the last syllable but one, for example

áthro

athráwes

with the stress falling on the á.

When the stress falls somewhere else, there is sometimes a hyphen before the stressed syllable, for example

mam-gú

pêl-dróed.

Teulu a ffrindiau • *Family and friends*

Mae teuluoedd yn gallu bod o feintiau amrywiol. Mae rhai plant yn byw gyda dim ond un rhiant neu ofalwr. Mae rhai plant yn byw gydag un rhiant neu ofalwr yn unig. Mae teidiau a neiniau, ewythrod, modrybedd, a chefndryd i gyd yn rhan o dy deulu estynedig.

Families come in many sizes. Some children live with just one parent or carer. Some have large families, with many relatives. Grandparents, uncles, aunts, and cousins are all members of your extended family.

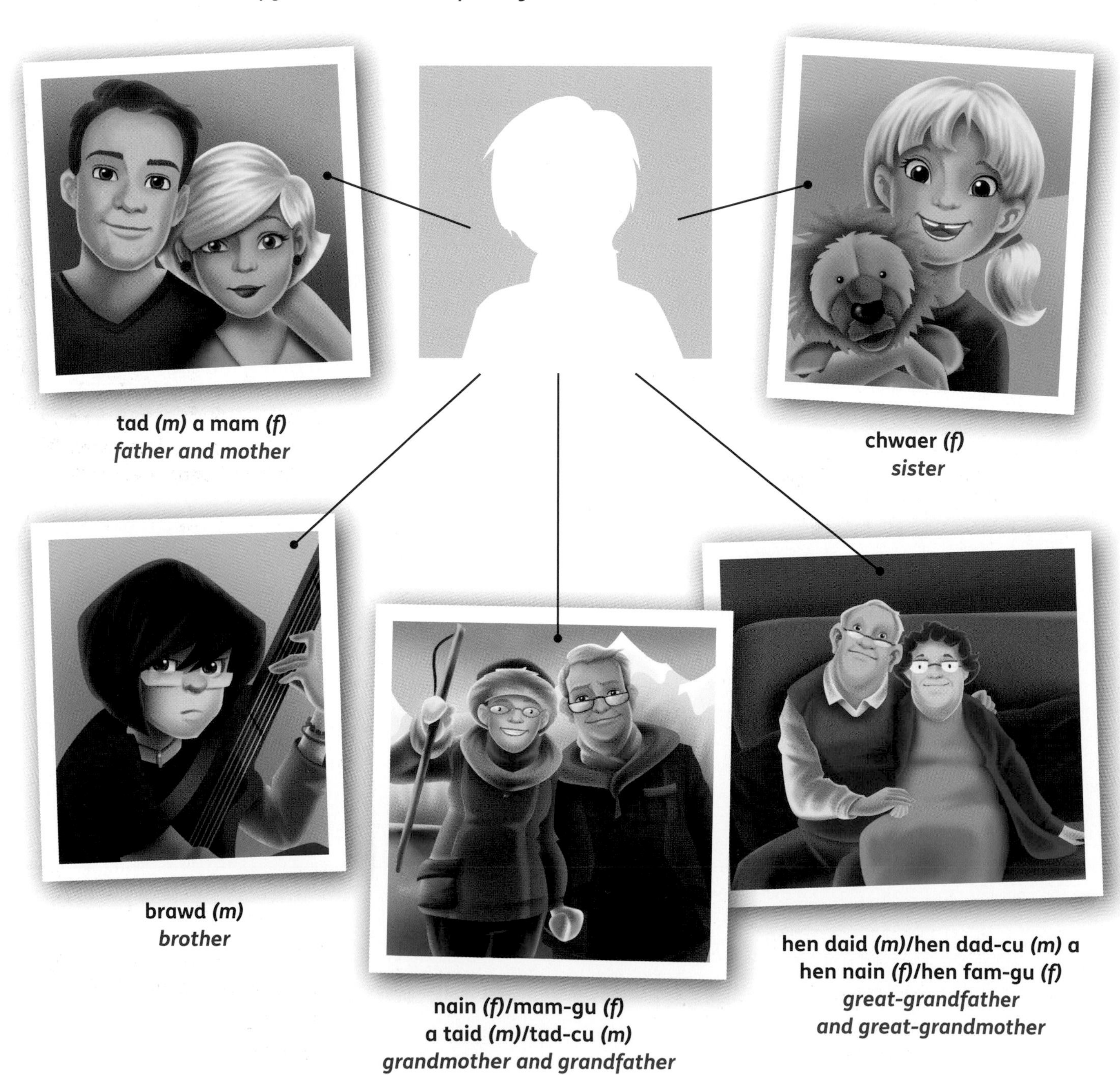

tad *(m)* a mam *(f)*
father and mother

chwaer *(f)*
sister

brawd *(m)*
brother

nain *(f)*/mam-gu *(f)* a taid *(m)*/tad-cu *(m)*
grandmother and grandfather

hen daid *(m)*/hen dad-cu *(m)* a hen nain *(f)*/hen fam-gu *(f)*
great-grandfather and great-grandmother

llystad ***(m)*** **a mam** ***(f)***
stepfather and mother

ewythr ***(m)*** **a modryb** ***(f)***
uncle and aunt

ffrind gorau ***(m)***
best friend

llysfrawd ***(m)*** **a llyschwaer** ***(f)***
stepbrother and stepsister

cefndryd
cousins

ffrindiau
friends

Dy gorff • *Your body*

Mae dy gorff fel peiriant eithriadol o gymhleth. Mae'r rhannau i gyd yn gweithio'n berffaith gyda'i gilydd, er mwyn i ti allu gwneud llawer o bethau ar yr un pryd. Mae hefyd yn brysur drwy'r amser yn dy gadw di'n fyw!

Your body is like an incredibly complicated machine. All its parts work perfectly together, so you can do many different jobs at once. It is also busy all the time keeping you alive!

Wyneb *(m)* • *Face*

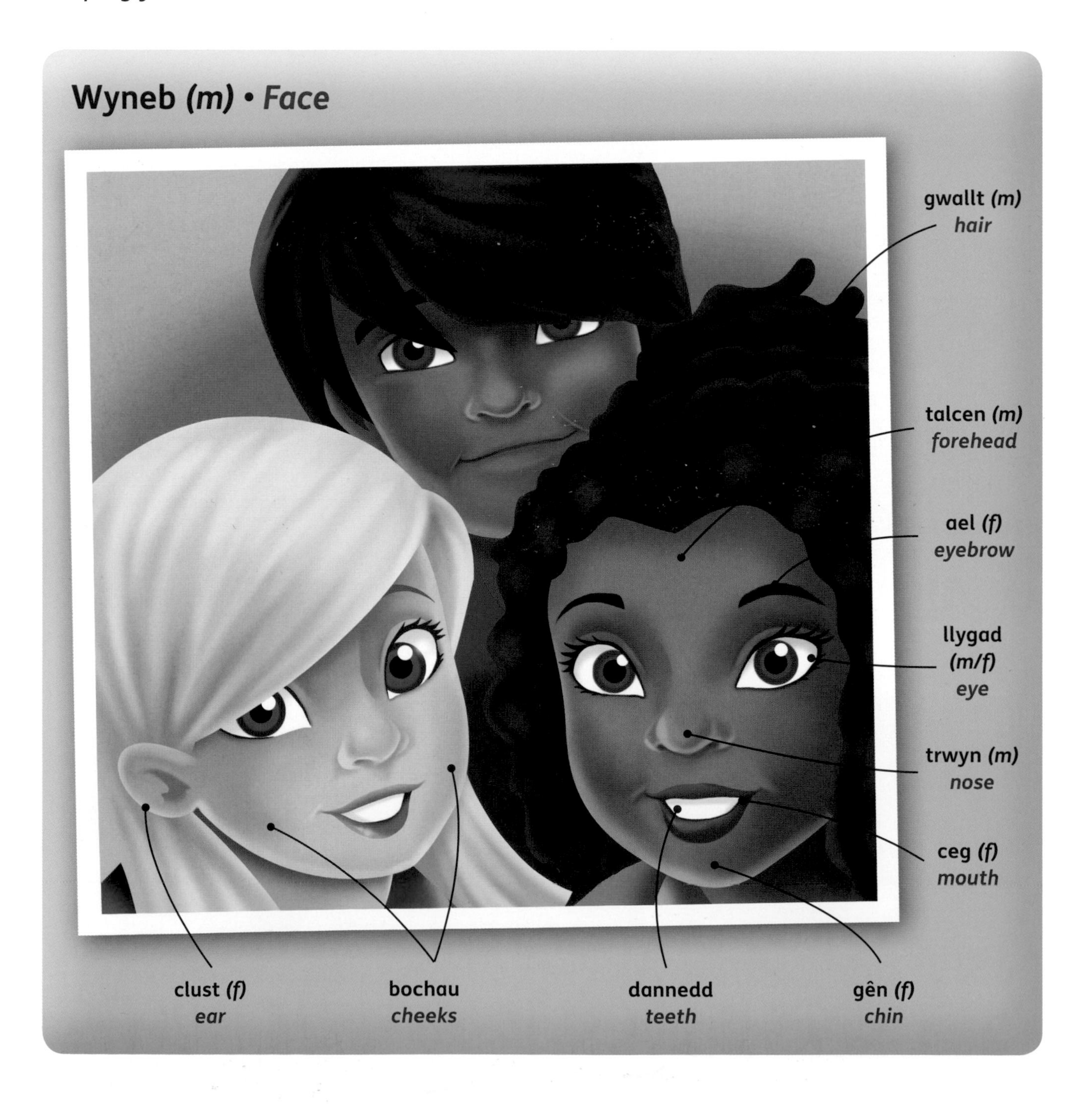

Corff *(m)*
Body

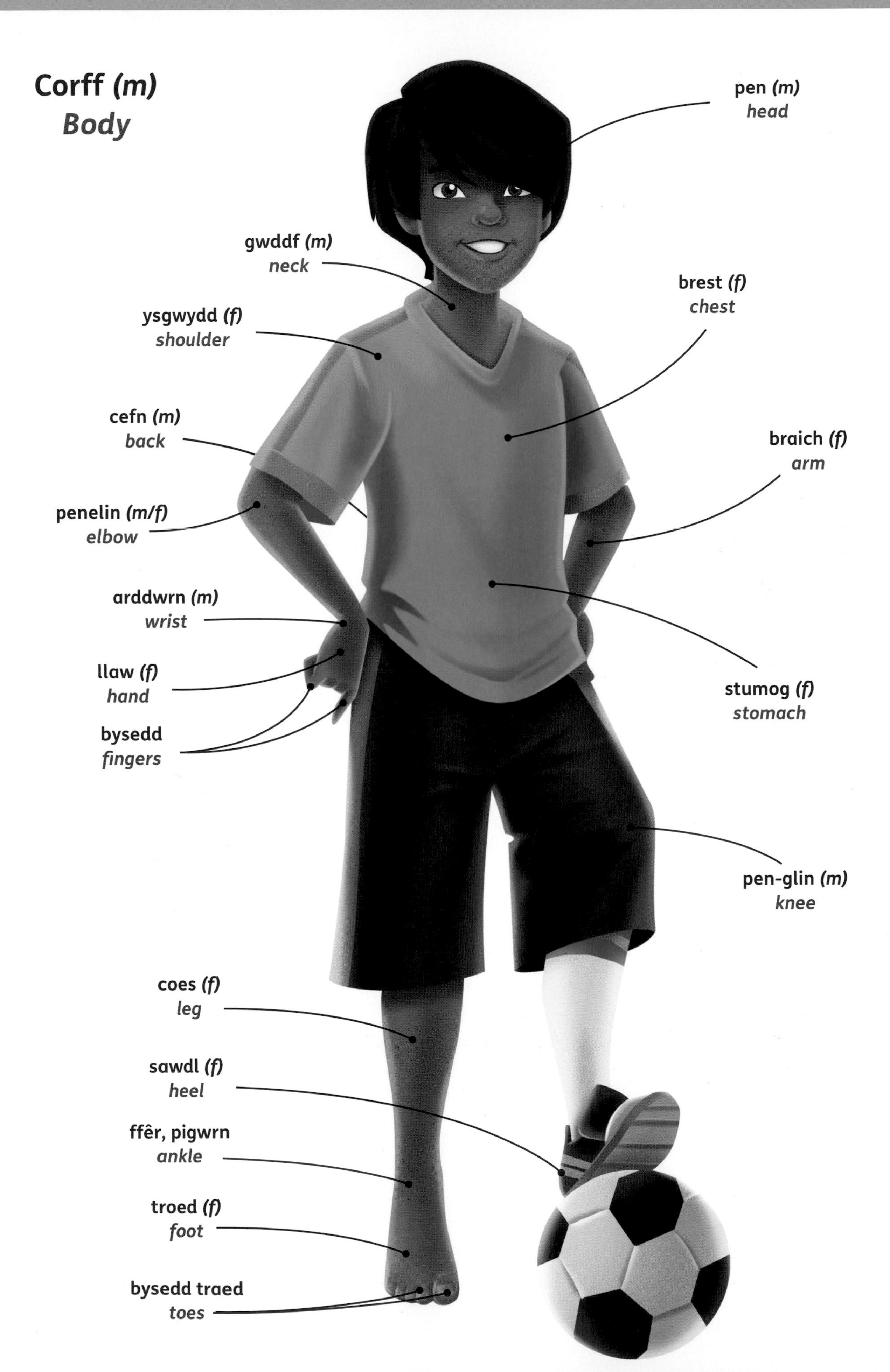
pen (m)
head
gwddf (m)
neck
brest (f)
chest
ysgwydd (f)
shoulder
cefn (m)
back
braich (f)
arm
penelin (m/f)
elbow
arddwrn (m)
wrist
llaw (f)
hand
stumog (f)
stomach
bysedd
fingers
pen-glin (m)
knee
coes (f)
leg
sawdl (f)
heel
ffêr, pigwrn
ankle
troed (f)
foot
bysedd traed
toes

Tu mewn i'r corff
Inside your body

Y tu mewn i dy gorff mae dy sgerbwd, sy'n cynnwys dros 200 o esgyrn. Mae dy sgerbwd yn gwarchod ac yn cynnal dy organau (fel dy galon a dy iau). Mae dy gyhyrau'n tynnu dy esgyrn i symud dy gorff.

Inside your body is your skeleton, which is made up of over 200 bones. Your skeleton protects and supports your organs (such as your heart and your liver). Your muscles pull on your bones to make your body move.

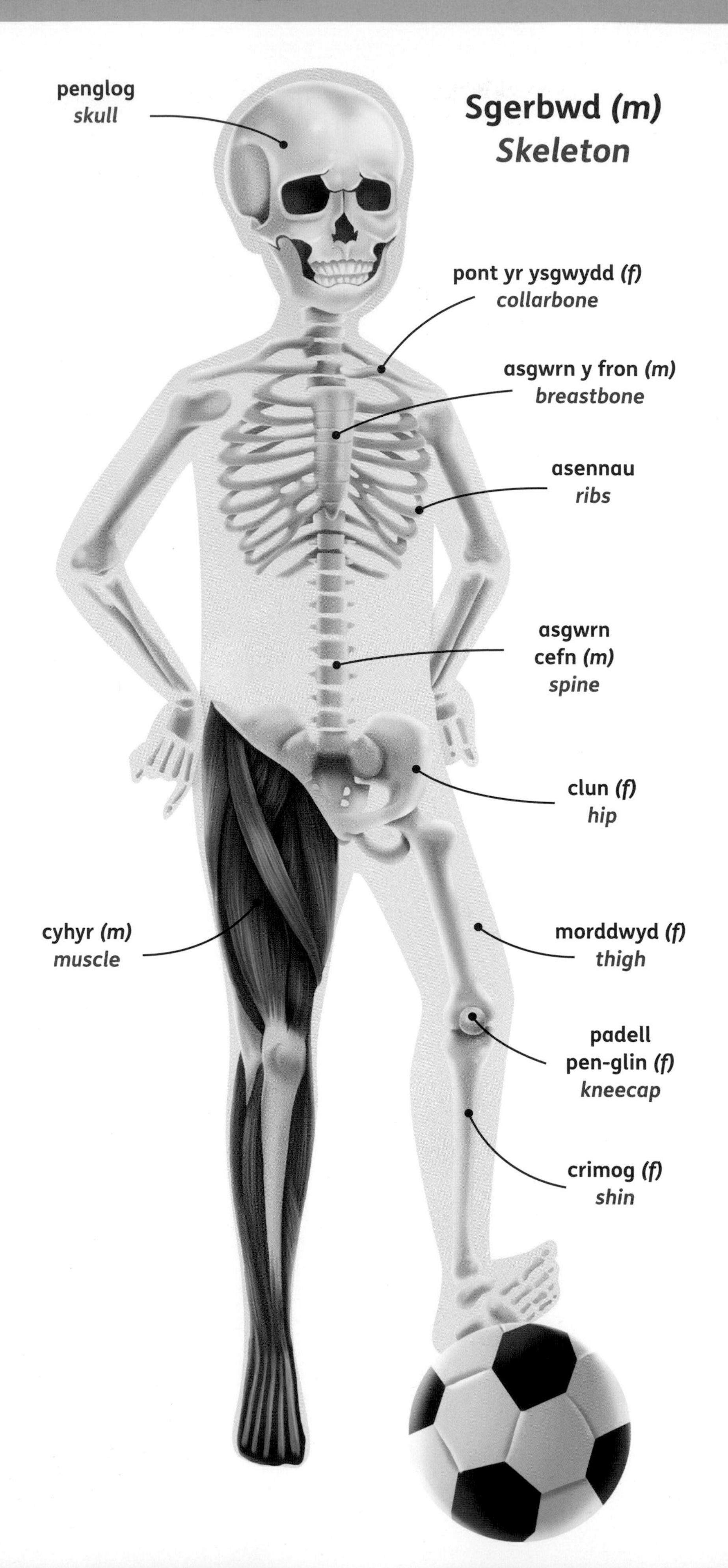

Organau
Organs

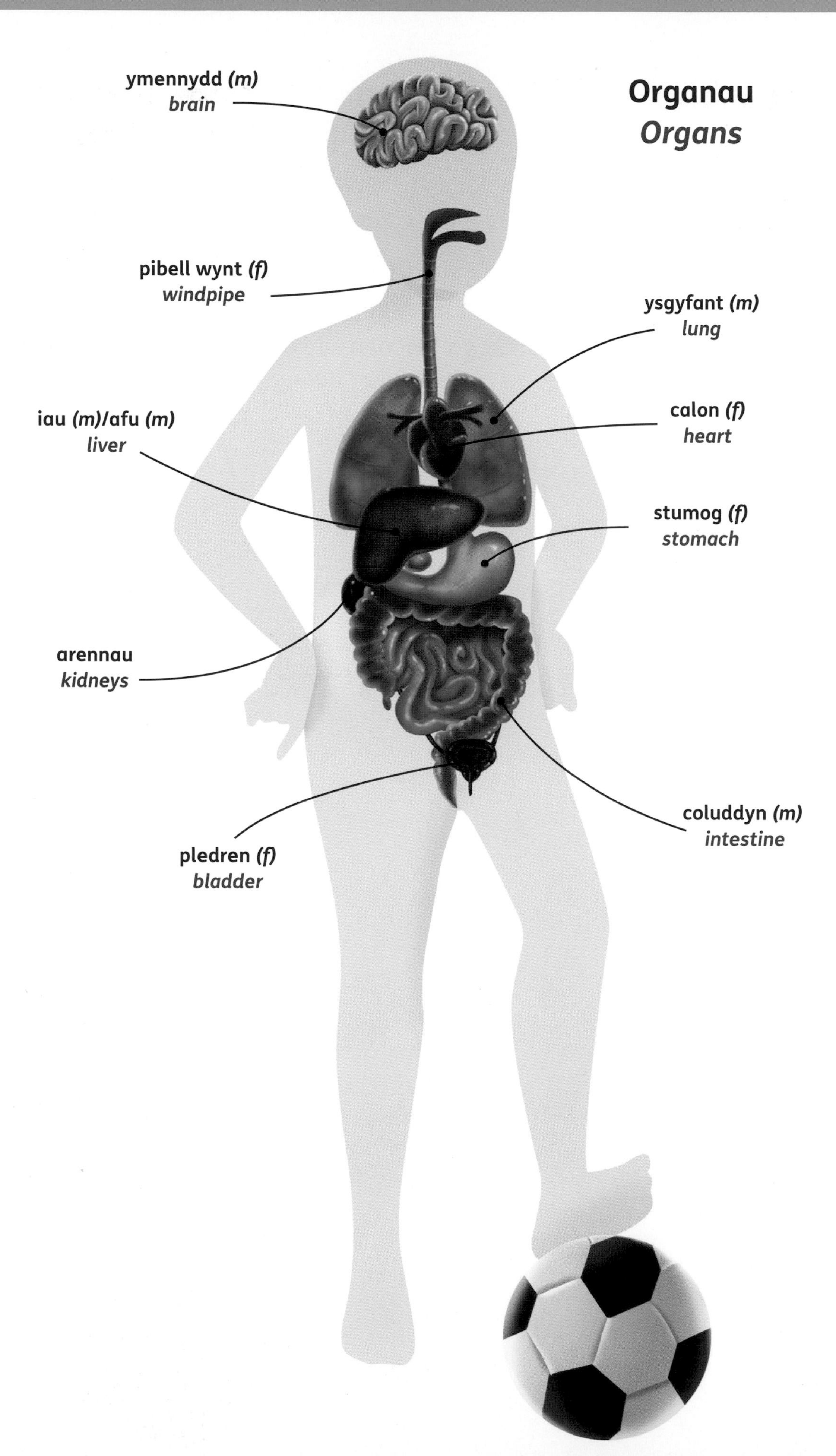

Synhwyrau a theimladau • *Senses and feelings*

Ein synhwyrau sy'n ein cysylltu â'r byd y tu allan. Maen nhw'n cario signalau i'n hymennydd am bob peth yr ydyn ni'n ei weld, ei glywed, ei arogli, ei flasu a'i gyffwrdd. Rydyn ni'n defnyddio'n wynebau i anfon signalau i bobl eraill am sut rydyn ni'n teimlo.

Our senses link our bodies to the outside world. They carry signals to our brains about everything we see, hear, smell, taste, and touch, we use our faces to send signals to other people about how we are feeling.

hapus
happy

trist
sad

ofnus
scared

blin, dig
angry

balch
proud

wedi cynhyrfu
excited

syn
surprised

direidus
mischievous

gwirion
silly

yn chwerthin
laughing

wedi drysu
confused

wedi diflasu
bored

Cartrefi • *Home*

Gall cartrefi fod mewn llawer o wahanol siapiau a meintiau, yn amrywio o ystafelloedd unigol i blastai anferth. Mae gan y rhan fwyaf le ar gyfer coginio, golchi, cysgu ac ymlacio.

Homes come in all shapes and sizes, and range from single rooms to massive mansions. Most have areas for cooking, washing, sleeping, and relaxing.

People and homes

1. **simnai** ***(f)*** — *chimney*
2. **ffenest** ***(f)*** — *window*

3. **drws** ***(m)*** — *door*

4. **to** ***(m)*** — *roof*
5. **cegin** ***(f)*** — *kitchen*

6. **ystafell ymolchi** ***(f)*** — *bathroom*

7. **ystafell fyw** ***(f)*** — *living room*
8. **ystafell wely** ***(f)*** — *bedroom*
9. **garej** ***(f)*** — *garage*
10. **bath** ***(m)*** — *bath*
11. **toiled** ***(m)*** — *toilet*
12. **cawod** ***(f)*** — *shower*
13. **cadair** ***(f)*** — *chair*
14. **bwrdd** ***(m)*** — *table*
15. **gwely** ***(m)*** — *bed*
16. **teledu** ***(m)*** — *television*
17. **sinc** ***(f)*** — *sink*
18. **popty** ***(m)*****/ffwrn** ***(f)*** — *cooker*

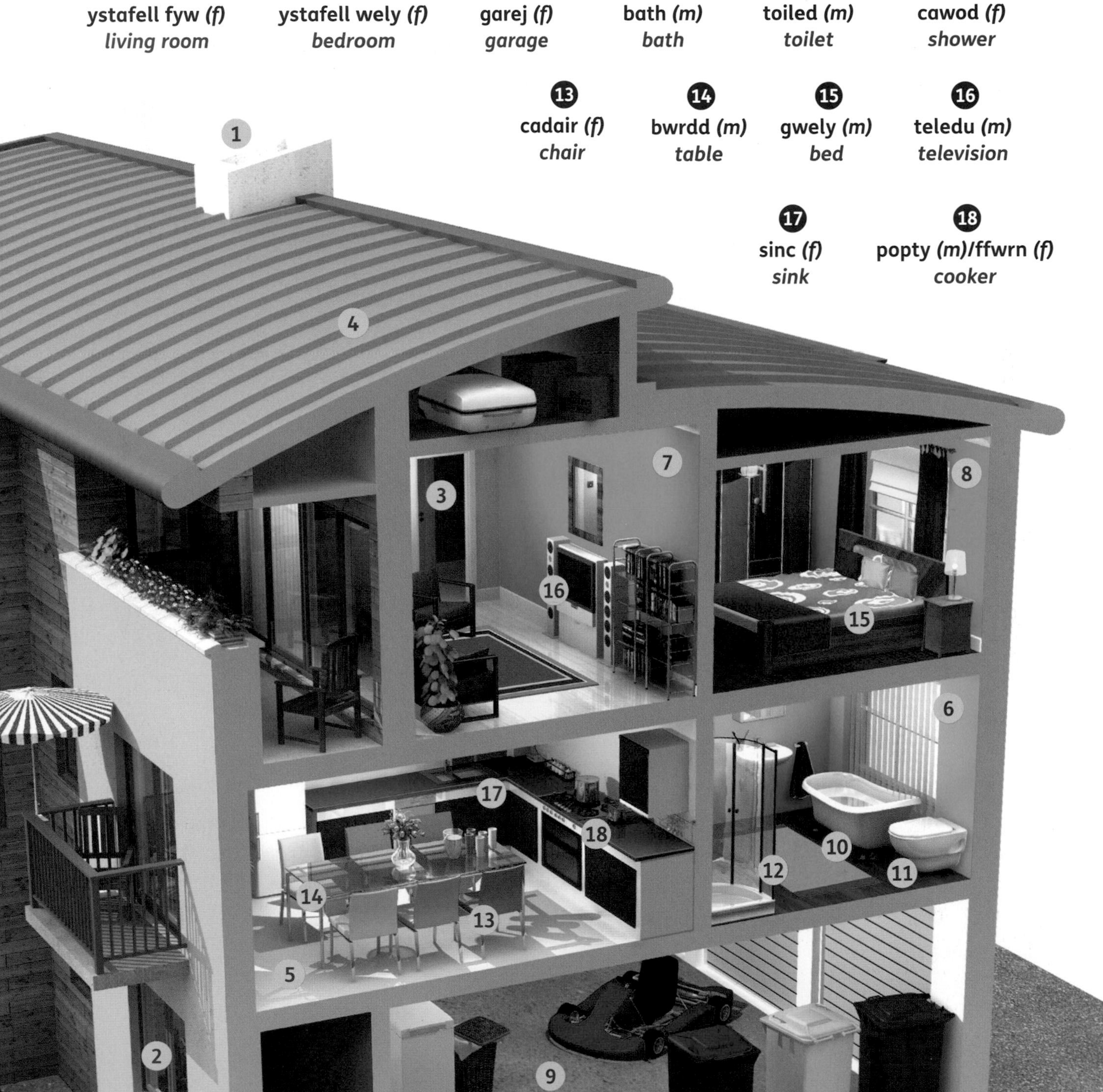

Nwyddau tŷ • *Household objects*

Mae ein cartrefi'n llawn o offer a thaclau defnyddiol. Rydyn ni'n defnyddio'r offer tŷ yma bob dydd i goginio ein bwyd a'n cadw'n hunain yn lân.

Our homes are full of useful household tools and materials. We use these household objects every day to cook our food and to keep ourselves clean.

Yn y gegin • *In the kitchen*

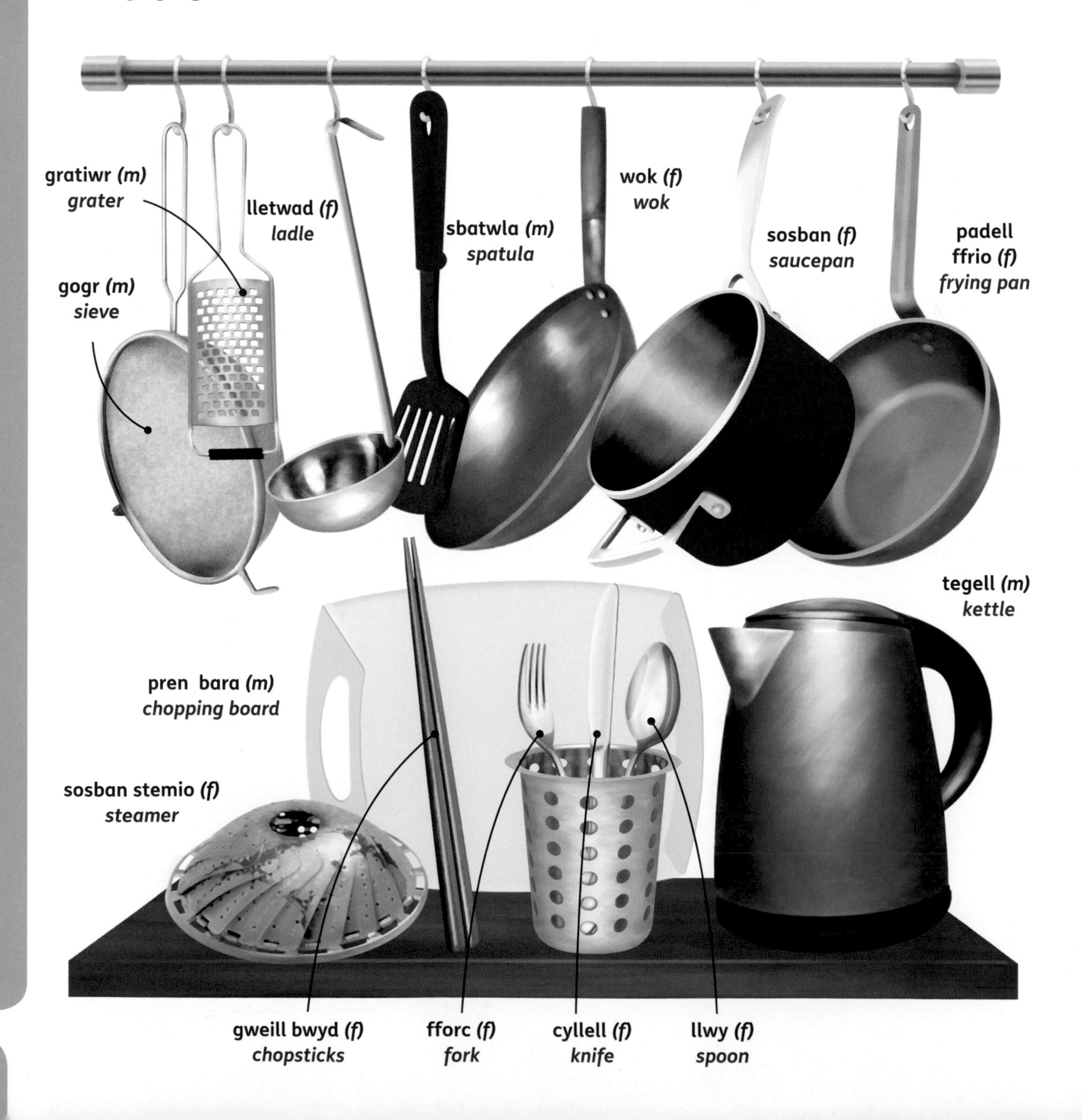

Yn yr ystafell ymolchi • *In the bathroom*

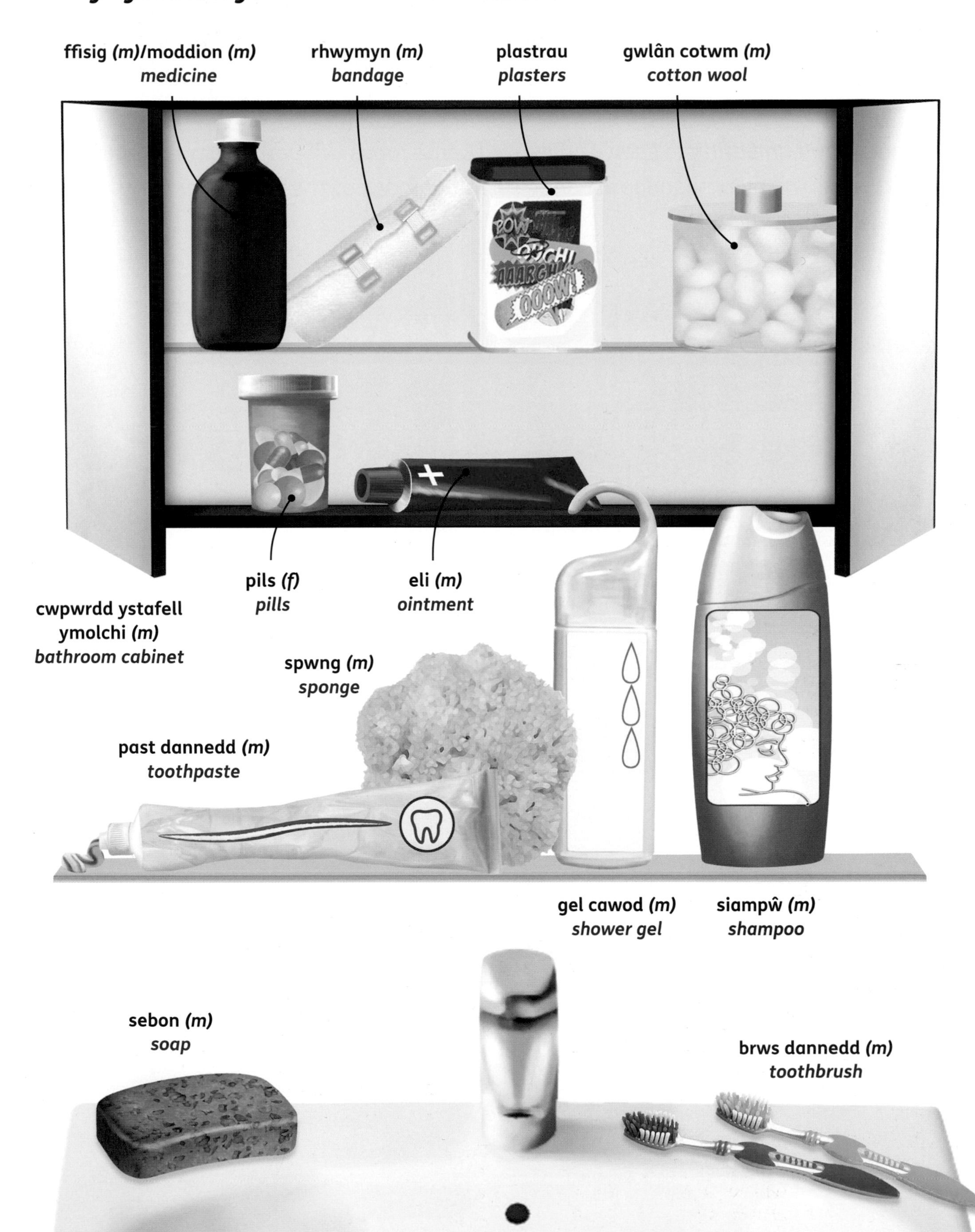

Bwyd a diod • *Food and drink*

Mae angen bwyd a diod arnon ni i'n cadw'n fyw, ond mae rhai bwydydd yn well nag eraill ar gyfer ein hiechyd. Mae'r pyramid gyferbyn yn dangos bwydydd iach ar y gwaelod a bwydydd llai iach ar y top.

We need food and drink to keep us alive, but some foods are better for our health than others. The pyramid opposite shows healthy foods at the bottom and less healthy foods at the top.

Diodydd *(f)* • *Drinks*

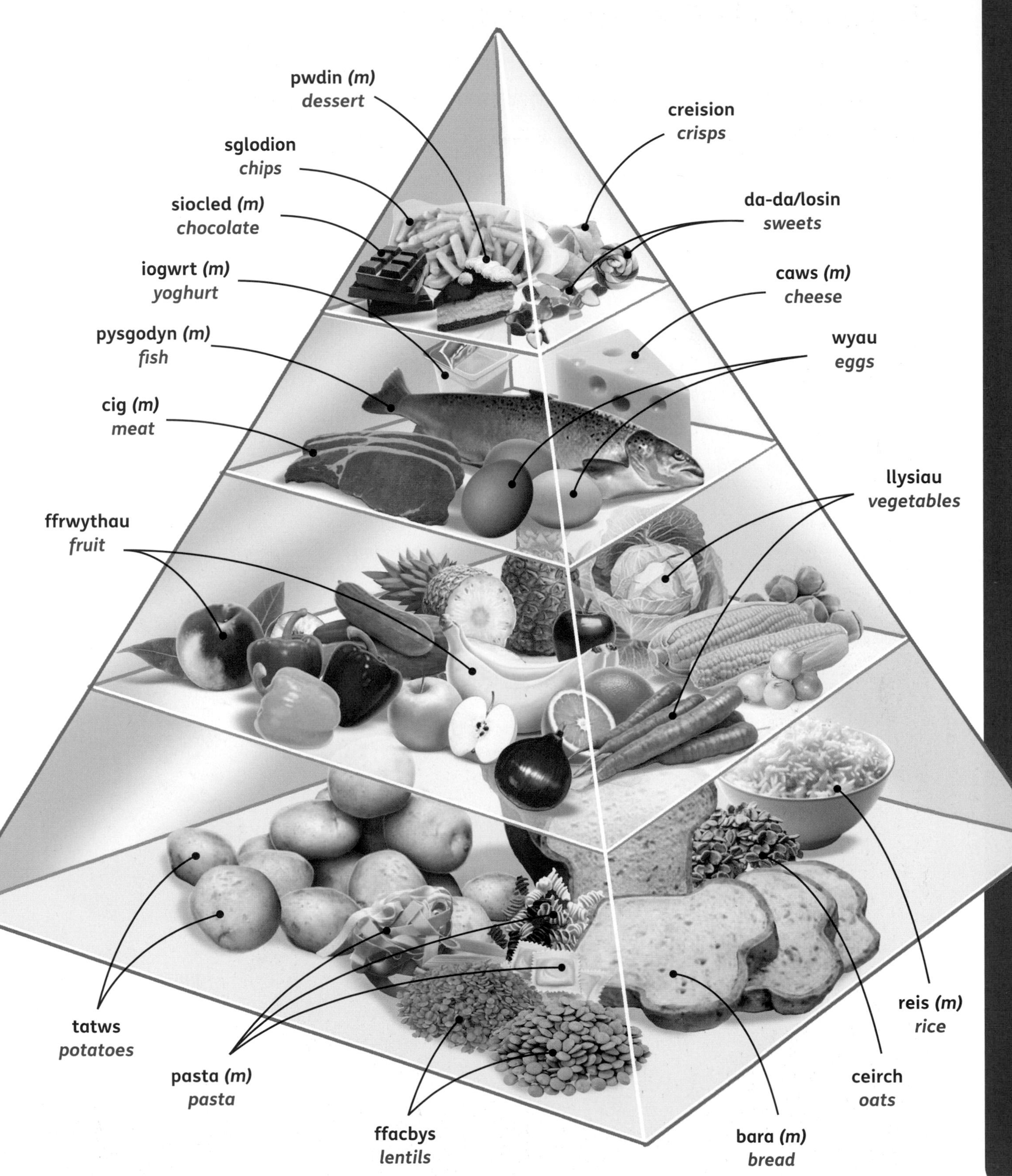
pwdin (m)
dessert
creision
crisps
sglodion
chips
siocled (m)
chocolate
da-da/losin
sweets
iogwrt (m)
yoghurt
caws (m)
cheese
pysgodyn (m)
fish
wyau
eggs
cig (m)
meat
llysiau
vegetables
ffrwythau
fruit
tatws
potatoes
reis (m)
rice
pasta (m)
pasta
ceirch
oats
ffacbys
lentils
bara (m)
bread

Pob math o fwyd • *All sorts of food*

Mae pobl yn cael byrbryd pan fyddan nhw angen pryd bach i'w fwyta'n gyflym. Os oes rhagor o amser ar gael, gallan nhw fwynhau prif gwrs a phwdin.

People have a snack when they need a small meal that can be eaten fast. If they have more time, they can enjoy a main course and a dessert.

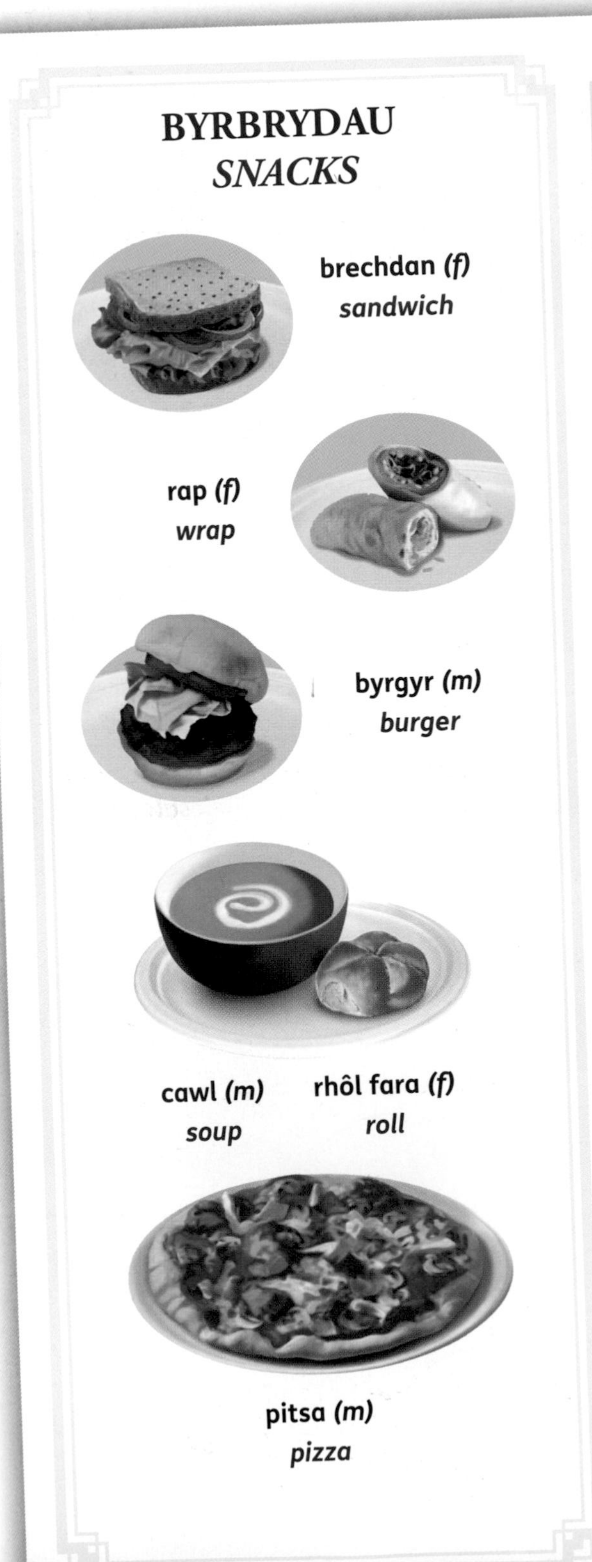

Bwydydd rhyfedd ac ofnadwy • *Weird and wonderful foods*

coesau brogaid
frogs' legs

cawl danadl poethion
stinging nettle soup

corynnod blewog wedi'u ffrio
fried tarantulas

PRIF GWRS *(m)*
MAIN COURSE

salad *(m)*
salad

tapas
tapas

toffw *(m)*
tofu

sbageti *(m)*
spaghetti

omled *(m/f)*
omelette

PWDIN *(m)*
DESSERT

hufen iâ *(m)*
ice cream

salad ffrwythau *(m)*
fruit salad

teisennau bach
cupcakes

crempog/ffrois
pancakes

gateau *(m)*
gateau

Ffrwythau a llysiau • *Fruit and vegetables*

Ffrwythau a llysiau yw'r rhannau o blanhigion sy'n addas i'w bwyta. Ffrwyth yw'r rhan o blanhigyn sy'n cynnwys ei hadau, dincod neu garreg. Llysiau yw gwreiddiau, dail neu goesennau planhigyn.

Fruit and vegetables are parts of plants. A fruit is the part of a plant that contains its seeds, pips, or stone. Vegetables are the roots, leaves, or stems of a plant.

Y tu
mewn
i afal
Inside
an apple
hadau
pips
coes (f)
stem
croen (m)
skin
cnawd (m)
flesh

ceirios
cherries
orenau
oranges
ciwcymbr (m)
cucumber
tatws
potatoes
bananas
bananas
cabetsien (f)
cabbage
india-corn (m)
sweetcorn
melon dŵr (m)
watermelon
ffa gwyrdd
green beans
gellyg
pears

Dillad pob dydd • *Everyday clothes*

Mae dillad yn amddiffyn y corff ac yn helpu i'n cadw'n lân, yn gynnes ac yn sych. Maen nhw hefyd yn gallu gwneud i ni edrych yn dda!

Clothes protect your body and help to keep you clean, warm, and dry. They can make you look good too!

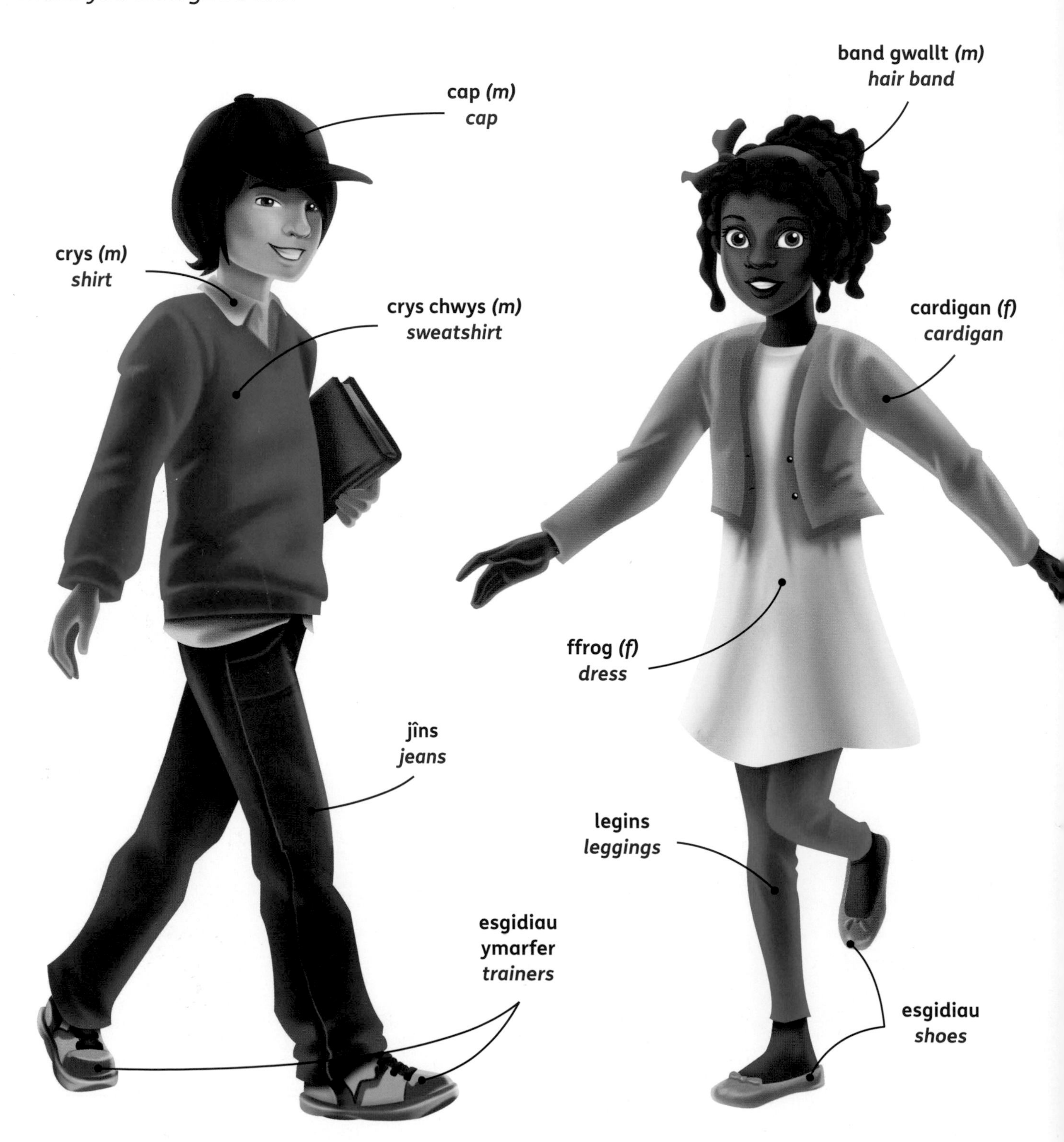

het (f)/hat (f)
hat
sgarff (f)
scarf
menig
gloves
crys T (m)
T-shirt
top tracwisg (m)
tracksuit top
côt (f)/cot (f)
coat
siorts
shorts
teits
tights
sgert (f)
skirt
sanau
socks
botasau
boots
esgidiau pêl-droed
football boots

Pob math o ddillad • *All sorts of clothes*

Ar y dudalen hon gellir gweld gwisgoedd hanesyddol o hen ddinas Rhufain, Ewrop a Japan. Mae'r dudalen gyferbyn yn rhoi rhai enghreifftiau o ddillad o wahanol wledydd.

On this page you can see some historical costumes from ancient Rome, Europe, and Japan. The opposite page includes some examples of clothes from different countries.

siaced (f)
jacket
cilt (m)
kilt
sari
(m/f)
sari
blows (f)
blouse
ffedog (f)
apron
clocsiau
clogs
tei (m/f)
tie
siwt (f)
suit
tyrban (m)
turban
het silc (f)
top hat
gwasgod (f)
waistcoat
fêl (f)
veil
ffrog
briodas (f)
wedding
dress

Yn yr ysgol • *At school*

Mae'r rhan fwyaf o blant yn gorfod mynd i'r ysgol. Mewn rhai gwledydd, mae plant yn dechrau'r ysgol yn bedair oed, ac mewn gwledydd eraill pan fyddan nhw'n saith. Yn yr ysgol mae plant yn dysgu ac yn ymarfer sgiliau pwysig iawn. Maen nhw'n dysgu amrywiaeth o bynciau sy'n eu helpu i ddeall y byd o'u cwmpas.

Most children have to go to school. In some countries, children start school at age four, in other countries they start at age seven. At school, you learn and practise some very important skills. You study a range of subjects that help you understand the world around you.

cloc ***(m)***
clock

amserlen ***(f)***
timetable

siart wal ***(f)***
wall chart

Gwersi • *Lessons*

bwrdd gwyn *(m)* • ***whiteboard***

1. **desg *(f)*** *desk*
2. **cyfrifiannell *(f)*** *calculator*
3. **llyfr ysgrifennu *(m)*** *exercise book*
4. **gwerslyfr *(m)*** *text book*
5. **ffeil *(f)*** *file*
6. **pad ysgrifennu *(m)*** *writing pad*
7. **pren mesur *(m)*** *ruler*
8. **glôb *(m)*** *globe*
9. **styffylwr *(m)*** *stapler*
10. **beiro *(m)*** *pen*
11. **pensil *(m)*** *pencil*
12. **rwber *(m)*** *rubber*

Pob math o waith • *All sorts of work*

Mae llawer o wahanol fathau o waith ar gael. Pa fath o waith wyt ti eisiau ei wneud? Efallai bod gen ti ddiddordeb mewn gweithio gyda chyfrifiaduron. Neu fyddet ti'n hoffi gweithio gydag anifeiliaid? Meddylia am yr holl swyddi y gallet ti roi cynnig arnyn nhw.

There are so many different types of work. What kind of work do you want to do? You may be interested in working with computers. Or would you like to work with animals? Think of all the jobs you could try.

peiriannydd *(m)*
engineer

pensaer *(m)*
architect

milfeddyg *(m)*
vet

gyrrwr bws *(m)*,
gyrwraig bws *(f)*
bus driver

pen-cogydd ***(m)***
chef

cyfreithiwr ***(m)*****,**
cyfreithwraig ***(f)***
lawyer

nyrs ***(m/f)***
nurse

gohebydd ***(m)***
reporter

plismon ***(m)*****,**
plismones ***(f)***
police officer

athro ***(m)*****,**
athrawes ***(f)***
teacher

Offer a dillad gwaith • *Work equipment and clothing*

Mae angen offer a dillad arbenigol ar rai pobl i wneud eu gwaith. Rhaid i adeiladwyr, deifwyr ac ymladdwyr tân wisgo dillad arbennig i'w cadw'n ddiogel. Mae llawfeddygon yn gwisgo dillad sy'n rhwystro germau rhag lledu.

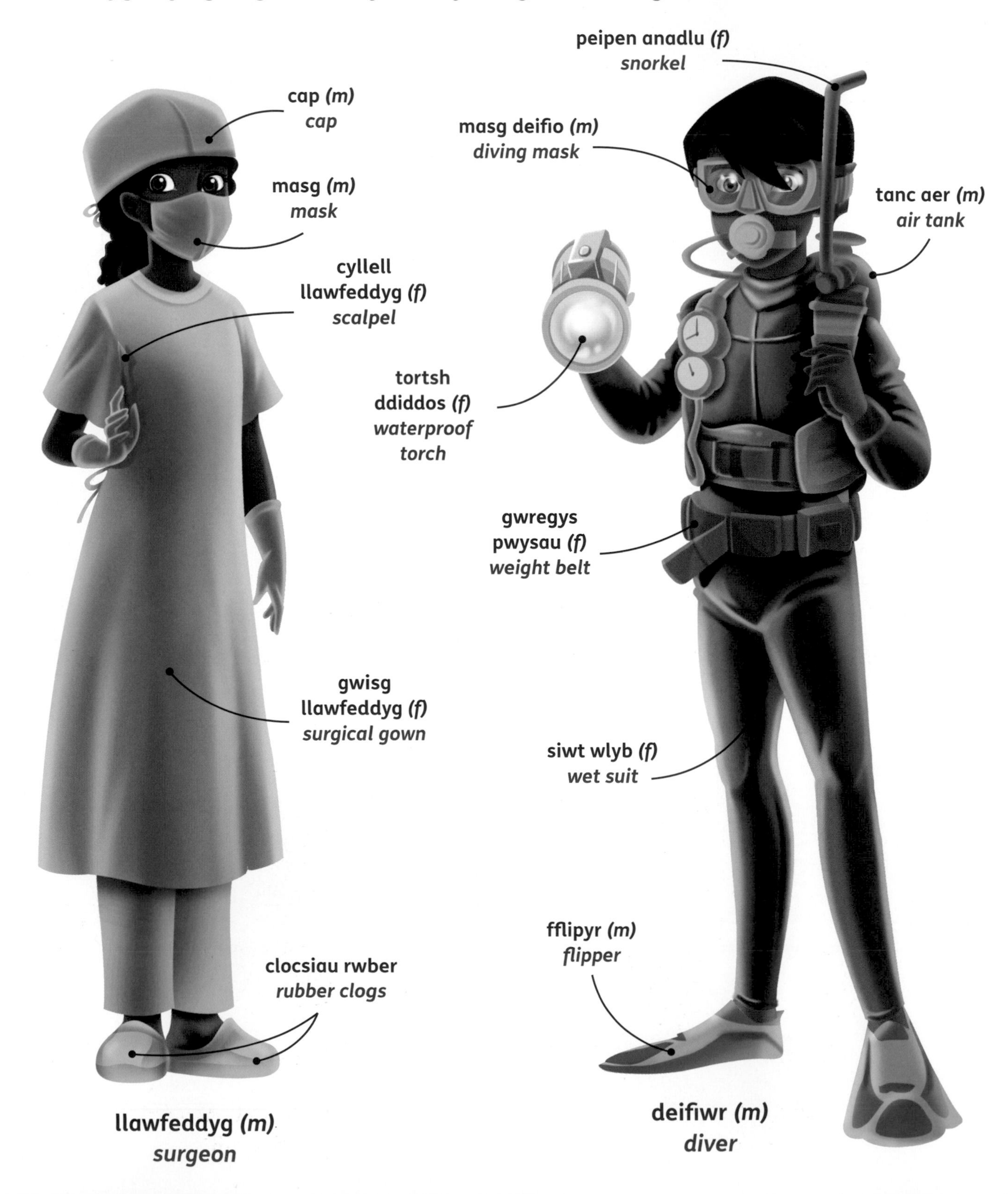

llawfeddyg *(m)*
surgeon

deifiwr *(m)*
diver

Some people need special equipment and clothing to do their work. Builders, divers, and firefighters wear special clothes to keep themselves safe. Surgeons wear clothing that stops germs spreading.

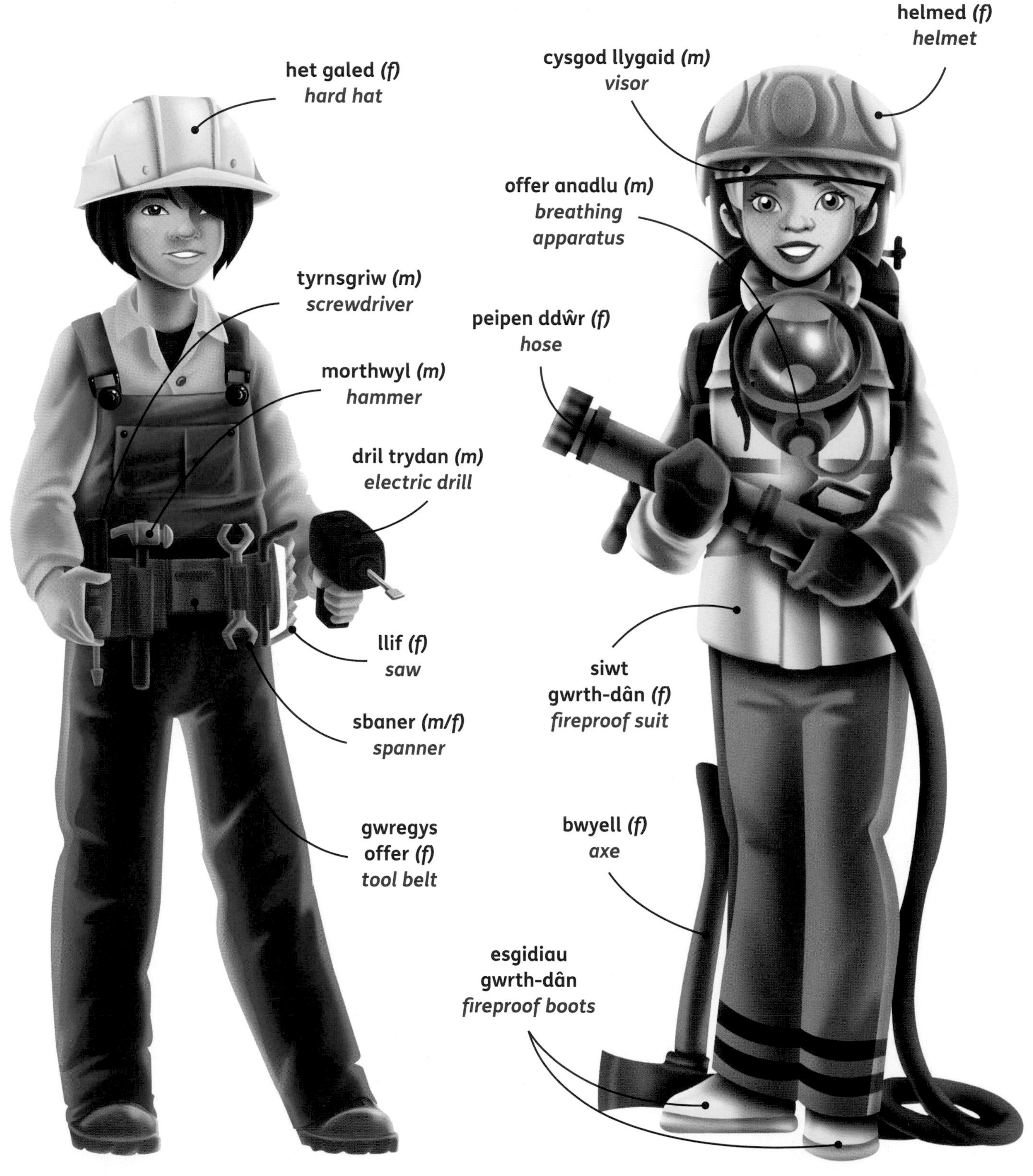

adeiladwr (m)
builder

ymladdwr tân (m)
firefighter

Chwaraeon • *Sports*

Mae chwaraeon yn bwysig – maen nhw'n ein cadw ni'n heini ac yn hwyl i'w gwneud. Mae athletwyr proffesiynol dros y byd i gyd yn hyfforddi'n galed i gystadlu mewn cystadlaethau mawr, fel y Gemau Olympaidd. Ceir dau fath o Gemau Olympaidd – un yn yr haf a'r llall yn y gaeaf.

Sport is important, it keeps us fit and is fun. Professional athletes all over the world train hard to compete in top competitions, such as the Olympics. There are two Olympics – one in summer and one in winter.

pêl-droed *(m)*
football

tennis *(m)*
tennis

pêl fas *(m)*
baseball

rygbi *(m)*
rugby

gymnasteg *(f)*
gymnastics

pêl foli *(m)*
volleyball

saethyddiaeth *(f)*
archery

seiclo *(m)*
cycling

athletau
athletics

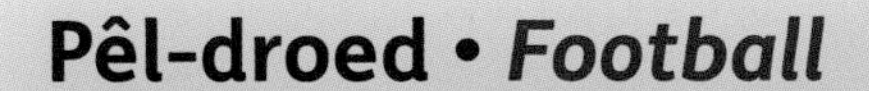

Pêl-droed • *Football*

dyfarnwr (*m*), dyfarnwraig (*f*) • *referee*
arbed • *to save*
sgorio • *to score*
gôl (*f*) • *goal*
cic gosb (*f*) • *penalty*
cic rydd (*f*) • *free kick*
amddiffynnwr (*m*), amddiffynwraig (*f*) • *defender*
gôl-geidwad (*m*) • *goalkeeper*
saethwr (*m*), saethwraig (*f*) • *striker*

pêl-fasged *(m)*
basketball

jiwdo *(m)*
judo

criced *(m)*
cricket

golff *(m)*
golf

nofio *(m)*
swimming

hoci iâ *(m)*
ice hockey

Chwaraeon yn fyw • *Sports in action*

Mae cymryd rhan mewn unrhyw fath o chwaraeon yn gofyn am lawer o fywiogrwydd! Rhedeg yw un o'r pethau pwysig mewn llawer o chwaraeon ond mae angen llawer o weithgareddau eraill hefyd.

Taking part in any kind of sport means a lot of action! Running is part of many sports but there are many of other activities too.

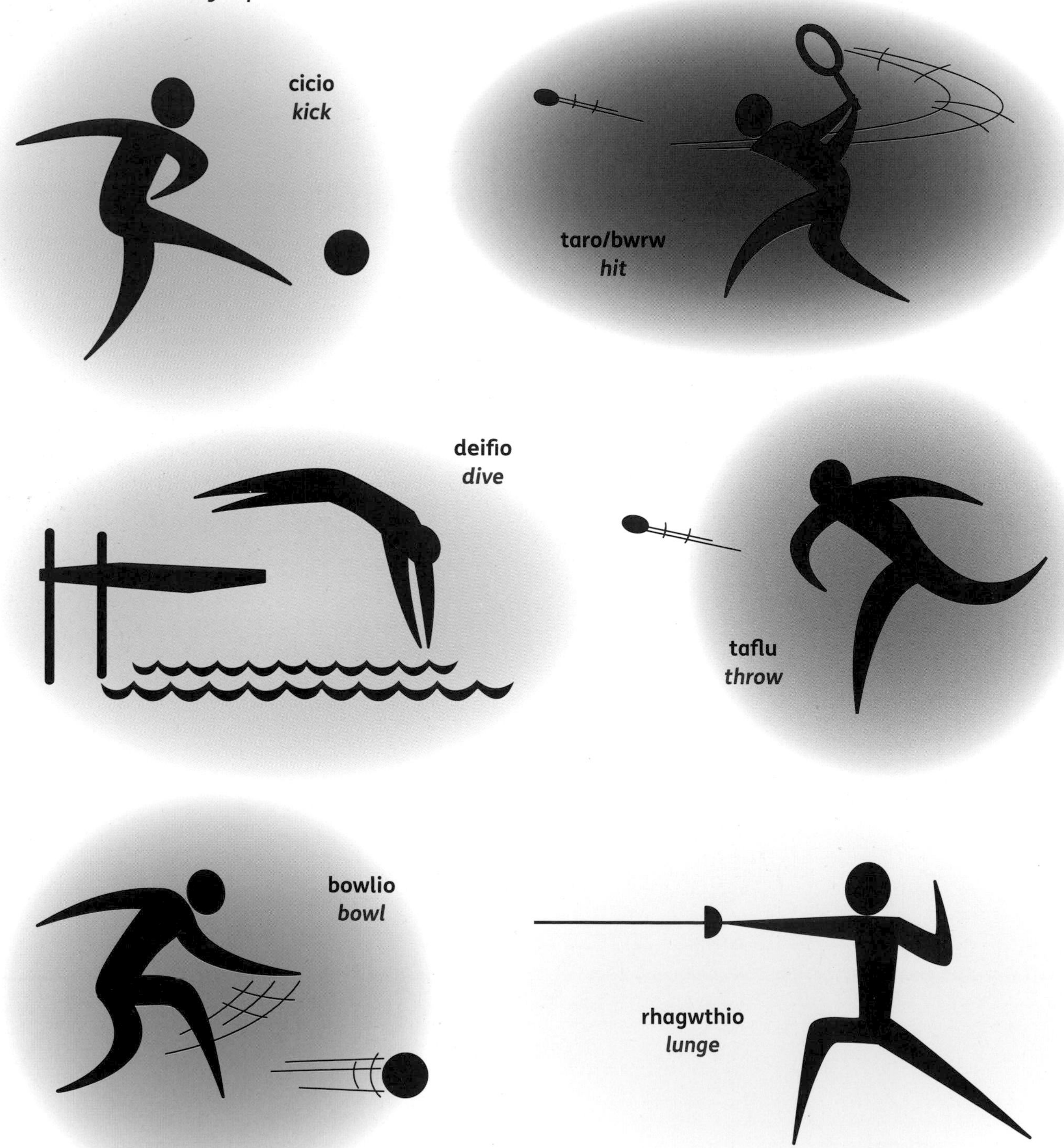

dal
catch
saethu
shoot
neidio
jump
sgio
glide
sglefrio
skate
marchogaeth
ride
rhwyfo
paddle

Chwaraeon a hamdden
Games and leisure

Mae pobl dros y byd i gyd wedi bod yn chwarae gemau ers canrifoedd. Mae gwyddbwyll, barcutiaid a io-ios yn mynd yn ôl ymhell iawn. Dyfeisiadau diweddar yw gemau electronig.

People all over the world have been playing games for centuries. Chess, kites, and yo-yos have a very long history. Electronic games are a recent invention.

1 **bwrdd sgrialu *(m)*** *skateboard*

2 **llafnau rholio** *rollerblades*

3 **pêl-droed *(m)*** *football*

4 **raced *(f)*** *racket*

5 **gwennol *(f)*** *shuttlecock*

6 **bat *(m)*** *bat*

7 **io-io *(m)*** *yo-yo*

8 **barcut *(m)*** *kite*

9 **peli jyglo** *juggling balls*

10 **bwrdd gwyddbwyll *(m)*** *chessboard*

11 **darnau gwyddbwyll** *chess pieces*

12 **clustffonau** *earphones*

13 **pos jig-so *(m)*** *jigsaw puzzle*

14 **gêm fwrdd *(f)*** *board game*

15 **cylchgrawn *(m)*** *magazine*

16 **nofel *(f)*** *novel*

17 **DVD *(m)*** *DVD*

18 **chwaraewr cerddoriaeth *(m)*** *music player*

19 **consol gemau *(m)*** *games console*

20 **model *(m)*** *model*

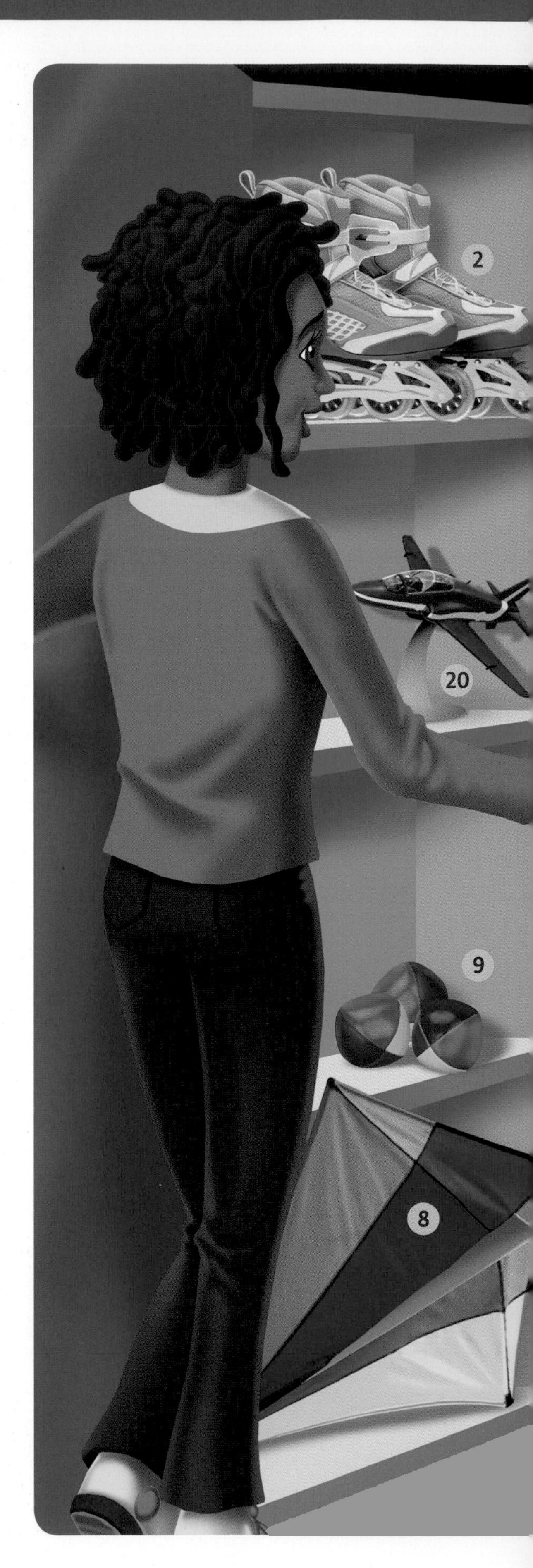

17
3
10
11
7
14
19
1
6
13
15
4
18
16
12
5

Celfyddyd • *Art*

Mae pobl yn creu gweithiau o gelfyddyd drwy sylwi ar yr hyn y maen nhw'n ei weld o'u cwmpas, neu drwy ddefnyddio'u dychymyg. Gallwn ddefnyddio paent, camerâu, clai, neu hyd yn oed farmor i greu gweithiau o gelfyddyd. Gellir gweld gwaith artistiaid enwog mewn orielau ar hyd a lled y byd.

People create art by observing what they see around them, or by using their imagination. We can use paints, cameras, clay, or even marble to create art. You can see the work of famous artists in galleries around the world.

portread *(m)*
portrait

braslun *(m)*
sketch

ffotograff *(m)*
photograph

bywyd llonydd *(m)*
still life

tirlun dyfrlliw *(m)*
watercolour landscape

cartŵn *(m)*
cartoon

Deunyddiau'r artist • *Artist's equipment*

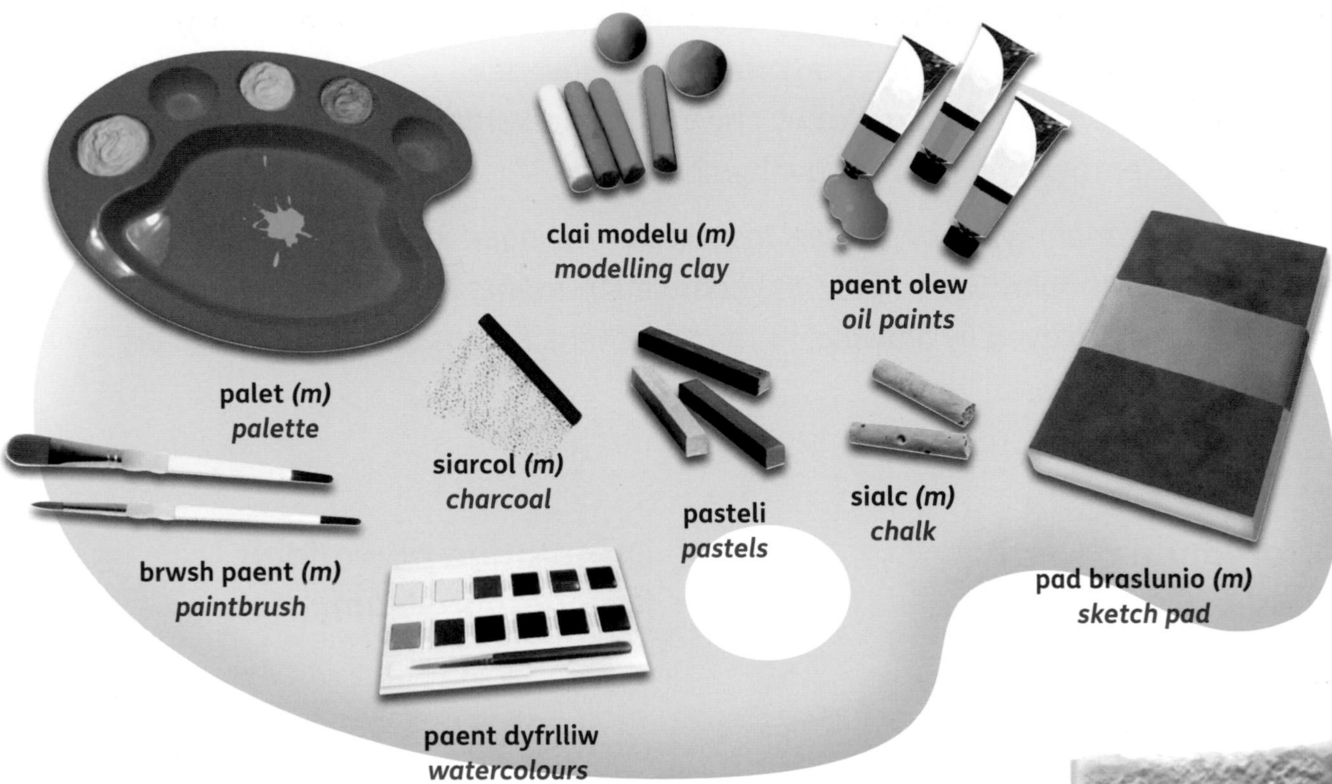

clai modelu *(m)*
modelling clay

paent olew
oil paints

palet *(m)*
palette

siarcol *(m)*
charcoal

pasteli
pastels

sialc *(m)*
chalk

pad braslunio *(m)*
sketch pad

brwsh paent *(m)*
paintbrush

paent dyfrlliw
watercolours

tapestri *(m)*
tapestry

gwydr lliw *(m)*
stained glass

cerflun *(m)*
sculpture

graffiti *(m)*
graffiti

Offerynnau cerdd • *Musical instruments*

Ceir pedwar prif fath o offerynnau cerdd. Mae gan offerynnau llinynnol linynnau i'w plycio neu eu canu â bwa. Mae gan offerynnau allweddell nodau i'w gwasgu. Caiff offerynnau chwyth eu chwarae drwy chwythu aer drwyddyn nhw ac offerynnau taro eu curo er mwyn iddyn nhw gynhyrchu sŵn.

There are four main types of musical instrument. Stringed instruments have strings to pluck or play with a bow. Keyboard instruments have keys to press. Wind instruments are played by blowing air through them. Percussion instruments are banged to make noise.

Offerynnau chwyth
Wind instruments

trwmped *(m)*
trumpet

pibau Pan
panpipes

ffliwt *(f)*
flute

clarinét *(m)*
clarinet

sacsoffon *(m)*
saxophone

Offerynnau allweddell
Keyboard instruments

syntheseisydd *(m)*
synthesizer

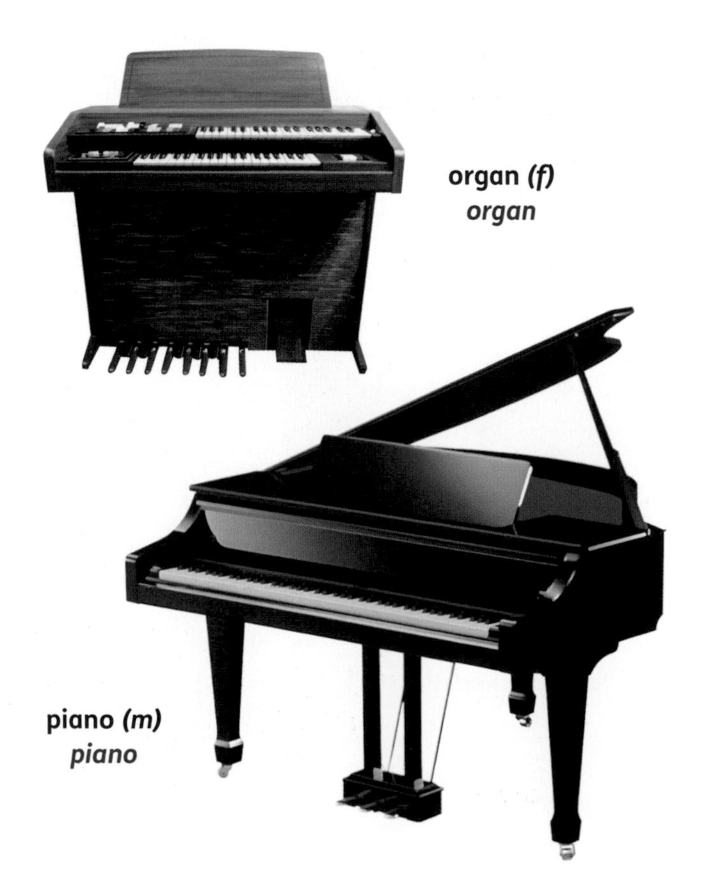

organ *(f)*
organ

piano *(m)*
piano

Offerynnau llinynnol • *Stringed instruments*

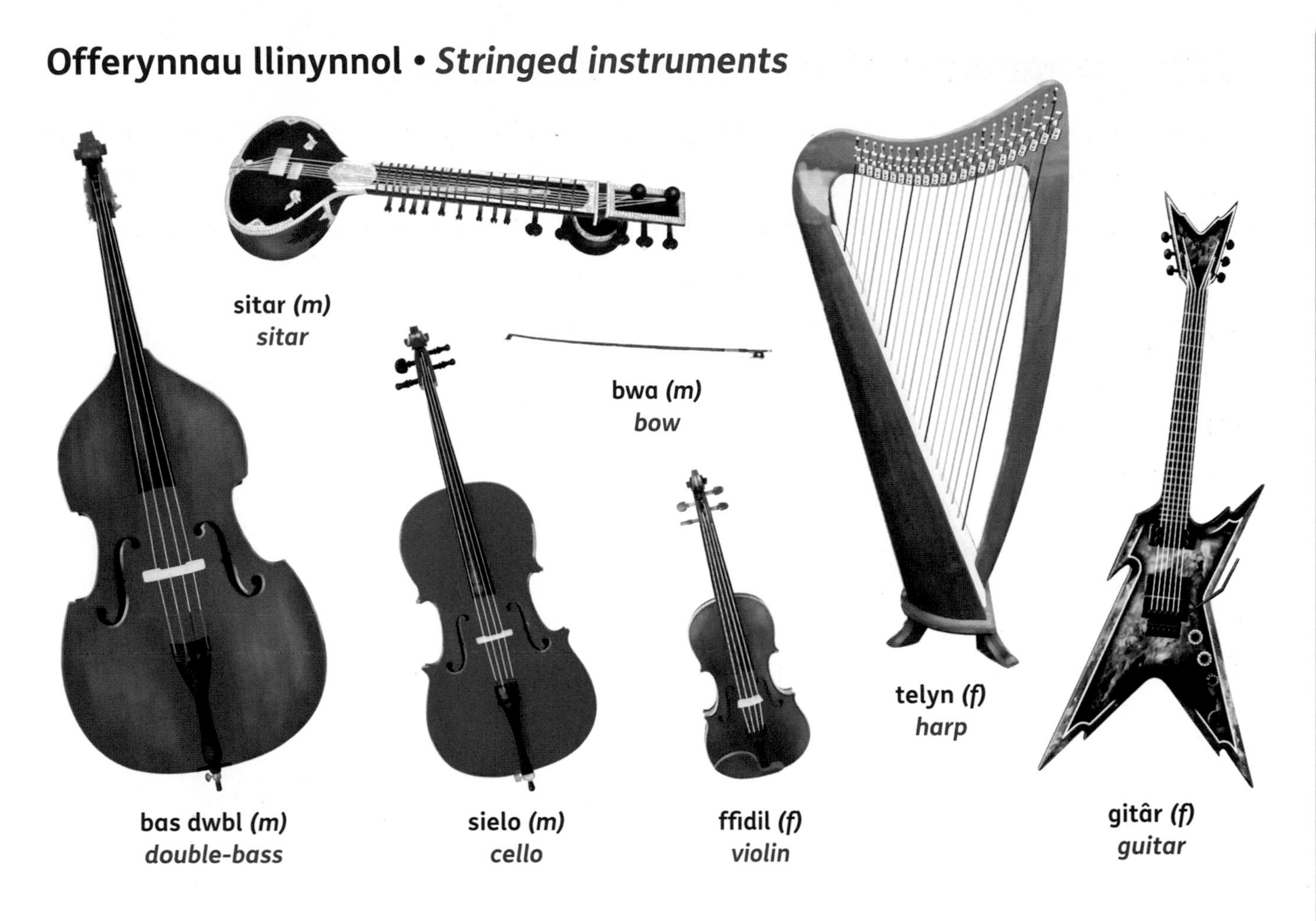

sitar ***(m)***
sitar

bwa ***(m)***
bow

telyn ***(f)***
harp

bas dwbl ***(m)***
double-bass

sielo ***(m)***
cello

ffidil ***(f)***
violin

gitâr ***(f)***
guitar

Offerynnau taro
Percussion instruments

maracas
maracas

tambwrîn ***(m)***
tambourine

symbalau
cymbals

drymiau
drums

tabla
tabla

Cerddoriaeth a dawns • *Music and dance*

Mae pobl o gwmpas y byd yn hoffi creu gwahanol fathau o gerddoriaeth a dawns. Gall cerddoriaeth gael ei chwarae gan gerddorfa fawr, gan fand bach, neu gan berfformiwr unigol. Gall rhywun ddawnsio ar ei ben ei hun, gyda phartner, neu mewn grŵp.

People around the world love to create different types of music and dance. Music can be played by a large orchestra, by a small band, or by a solo performer. You can dance alone, with a partner, or in a group.

clasurol
classical

roc
rock

jazz
jazz

pop
pop

gwerin
folk

reggae
reggae

rap
rap

canu'r enaid
soul

cerddoriaeth ethnig
world music

Dawns • *Dance*

dawnsio tap
tap dancing

breg-ddawnsio
breakdancing

dawnsio neuadd
ballroom dancing

bale
ballet

Teledu, ffilm, a theatr
TV, film, and theatre

Mae gwaith tîm yn bwysig wrth baratoi sioe ar gyfer y teledu, y sinema, neu'r theatr. Mae angen llawer o bobl ac offer i ffilmio digwyddiad byw, fel sioe dalent mewn theatr.

Teamwork is important when a show is being made for television, cinema, or the theatre. A lot of people and equipment are needed to film a live event, such as a talent show in a theatre.

1 **technegydd camera *(m)***
camera operator

2 **peiriannydd sain *(m)***
sound engineer

3 **cyfarwyddwr *(m)*, cyfarwyddwraig *(f)***
director

4 **camera *(m)***
camera

5 **llwyfan *(m/f)***
stage

6 **golau cylch *(m)***
spotlight

7 **meicroffon *(m)***
microphone

8 **canwr *(m)*, cantores *(f)***
singer

9 **dawnsiwr *(m)*, dawnswraig *(f)***
dancer

10 **actor *(m)*, actores *(f)***
actor

11 **gwisg *(f)***
costume

12 **set *(f)***
scenery

13 **rheolwr llwyfan *(m)*, rheolwraig llwyfan *(f)***
stage manager

14 **sgrin fonitro *(f)***
monitor screen

15 **clepiwr *(m)***
clapperboard

16 **llenni**
curtains

17 **cynhyrchydd *(m)***
producer

18 **cynulleidfa *(f)***
audience

2
6
10
7
9
8
18
11
5
4
FTV
3
14
1

Rhaglenni teledu a ffilmiau • *TV shows and films*

Pa fath o ffilmiau a rhaglenni teledu wyt ti'n ei hoffi? Oes well gen ti gomedïau neu ffilmiau sy'n gwneud i ti feddwl? Mae rhai ffilmiau a rhaglenni teledu yn dangos digwyddiadau go iawn ac eraill yn dangos sefyllfaoedd dychmygol.

What kind of films and TV shows do you like? Do you prefer comedies or films that make you think? Some films and TV programmes show real events. Others show imaginary situations.

arswyd
horror

ffuglen wyddonias a ffantasi
science fiction and fantasy

antur a chyffro
action and adventure

comedi
comedy

cartŵn
cartoon

rhaglen newyddion
news programme

rhaglen chwaraeon
sports programme

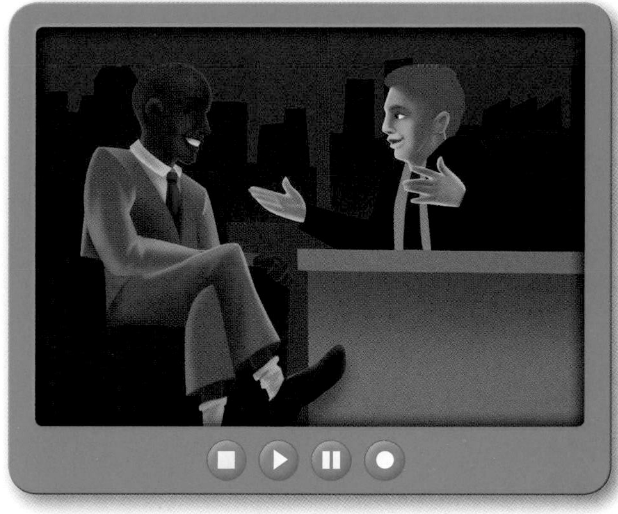

sioe siarad
talk show

rhaglen ddogfen am natur
nature documentary

rhaglen gemau
game show

Cerbydau teithwyr • *Passenger vehicles*

Mae llawer o ffyrdd o deithio. Gallwn fynd ar gludiant cyhoeddus, fel trên, bws neu reilffordd danddaearol, neu gallwn ddefnyddio ein cerbydau ein hunain, fel beic neu gar.

There are many ways to travel. You can go by public transport, such as the train, bus, or tube, or you can use your own vehicle, such as a bicycle or a car.

Rhannau car • *Parts of a car*

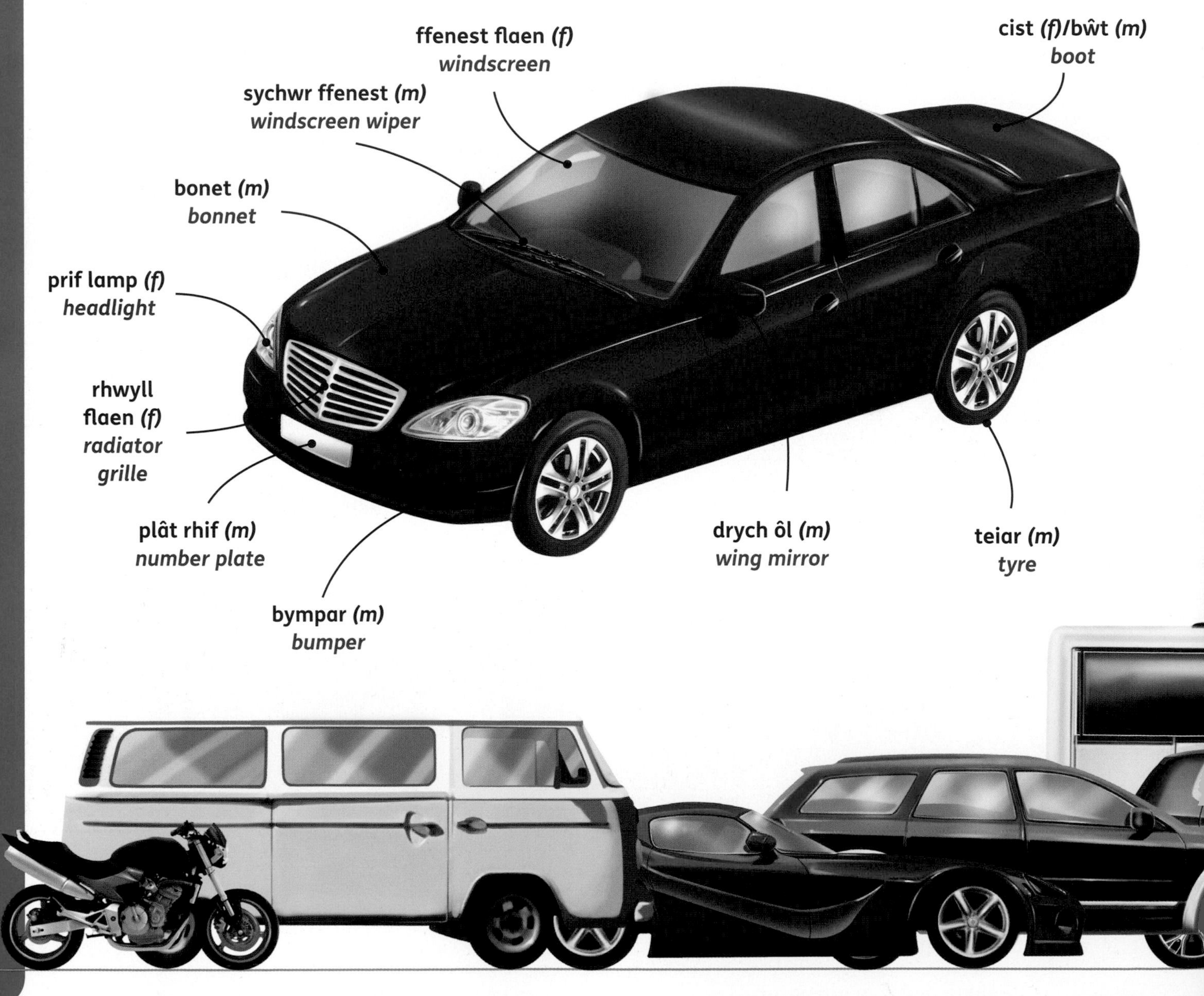

Mynd i fyny! • *Going up!*

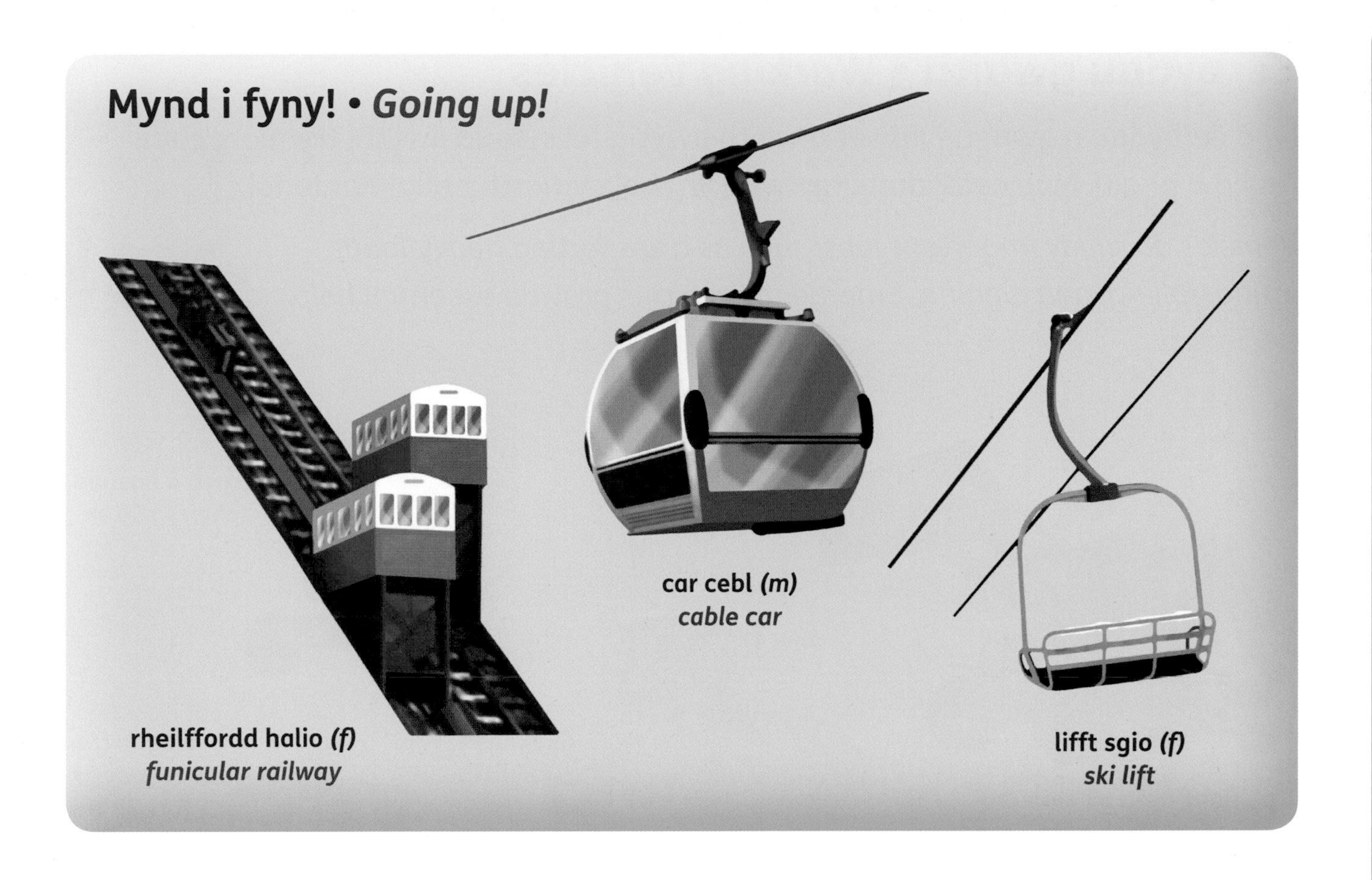

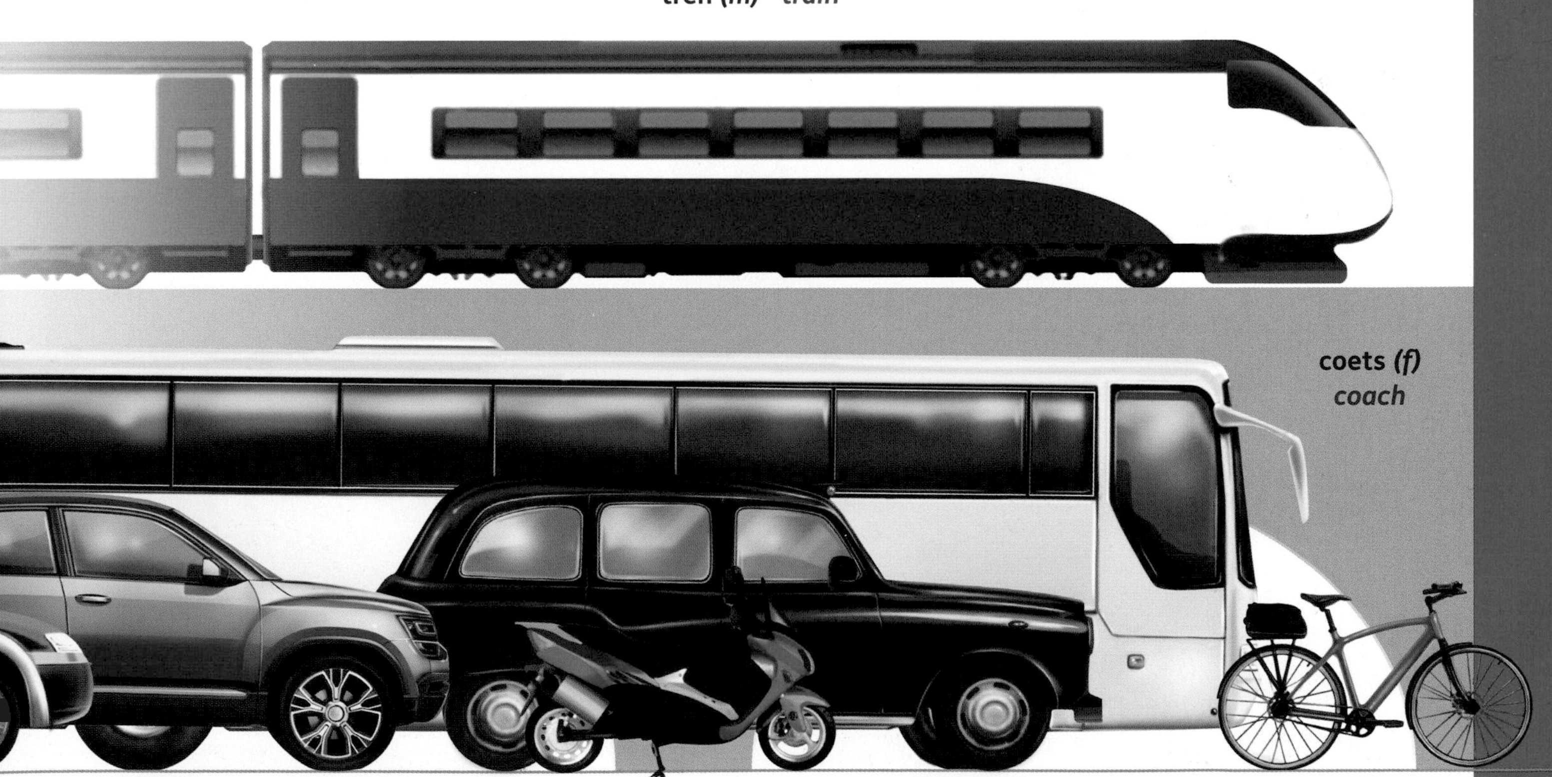

Cerbydau gwaith • *Working vehicles*

Mae cerbydau'n gwneud llawer o waith pwysig fel symud llwythi trymion, codi, rholio a phalu. Mae cerbydau argyfwng yn rhoi cymorth hollol hanfodol.

Vehicles do many important jobs, such as transporting heavy loads, lifting, rolling, and digging. Emergency vehicles provide essential help.

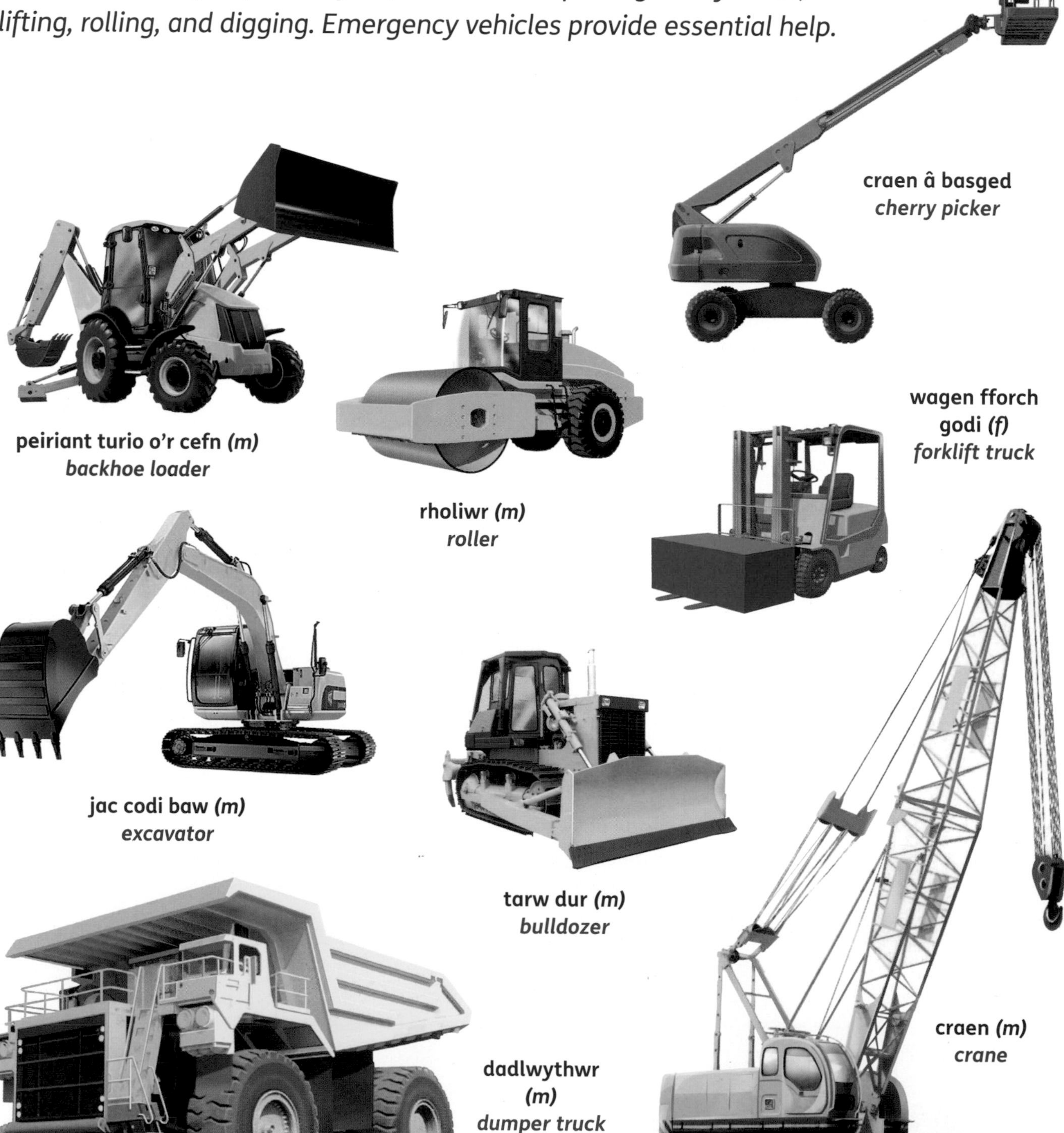

craen â basged
cherry picker

peiriant turio o'r cefn *(m)*
backhoe loader

rholiwr *(m)*
roller

wagen fforch godi *(f)*
forklift truck

jac codi baw *(m)*
excavator

tarw dur *(m)*
bulldozer

dadlwythwr *(m)*
dumper truck

craen *(m)*
crane

ambiwlans *(m)*
ambulance

injan dân *(f)*
fire engine

cerbyd tir a môr *(m)*
amphibious vehicle

car eira *(m)*
snowmobile

fan ddosbarthu *(f)*
delivery van

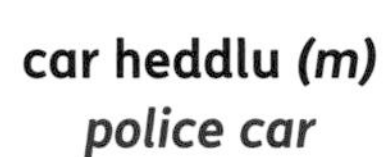

car heddlu *(m)*
police car

lorri sgip *(f)*
skip truck

aradr eira *(f)*
snow plough

lorri gario ceir *(f)*
car transporter

lorri gymysgu sment *(f)*
mixer truck

cerbyd nwyddau trwm *(m)*
heavy goods vehicle

Awyrennau • *Aircraft*

Caiff awyrennau eu gyrru gan beiriannau jet, llafnau gwthio, neu lafnau rotor. Mae balŵn aer poeth yn codi oherwydd bod yr aer y tu mewn iddo yn ysgafnach na'r aer o'i amgylch. Mae gleiderau yn reidio ar geryntau aer, a elwir yn thermolion.

Aircraft are powered by jet engines, by propellers, or by rotor blades. A hot air balloon rises up because the air inside its envelope is lighter than the surrounding air. Gliders ride on currents of air, called thermals.

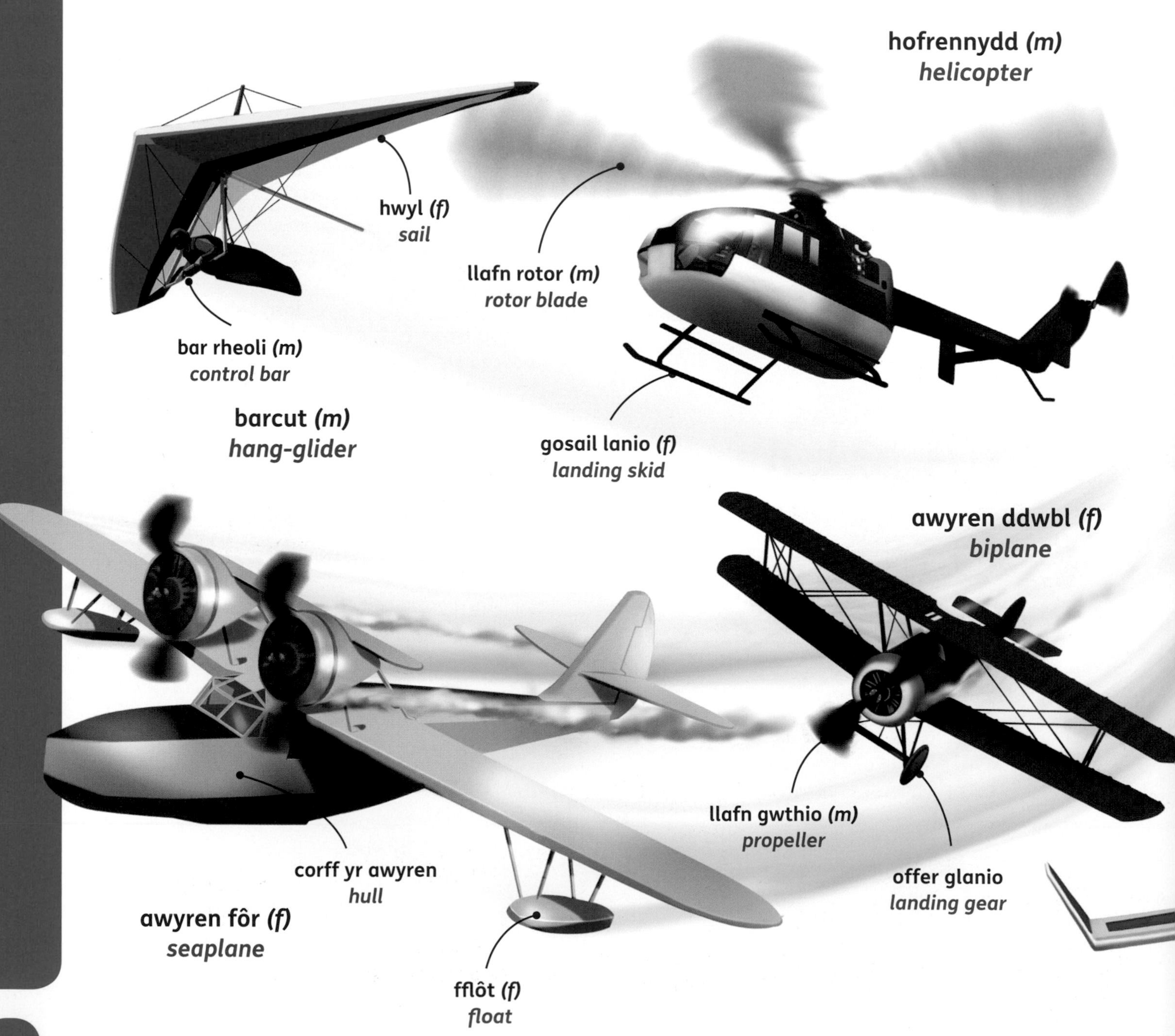

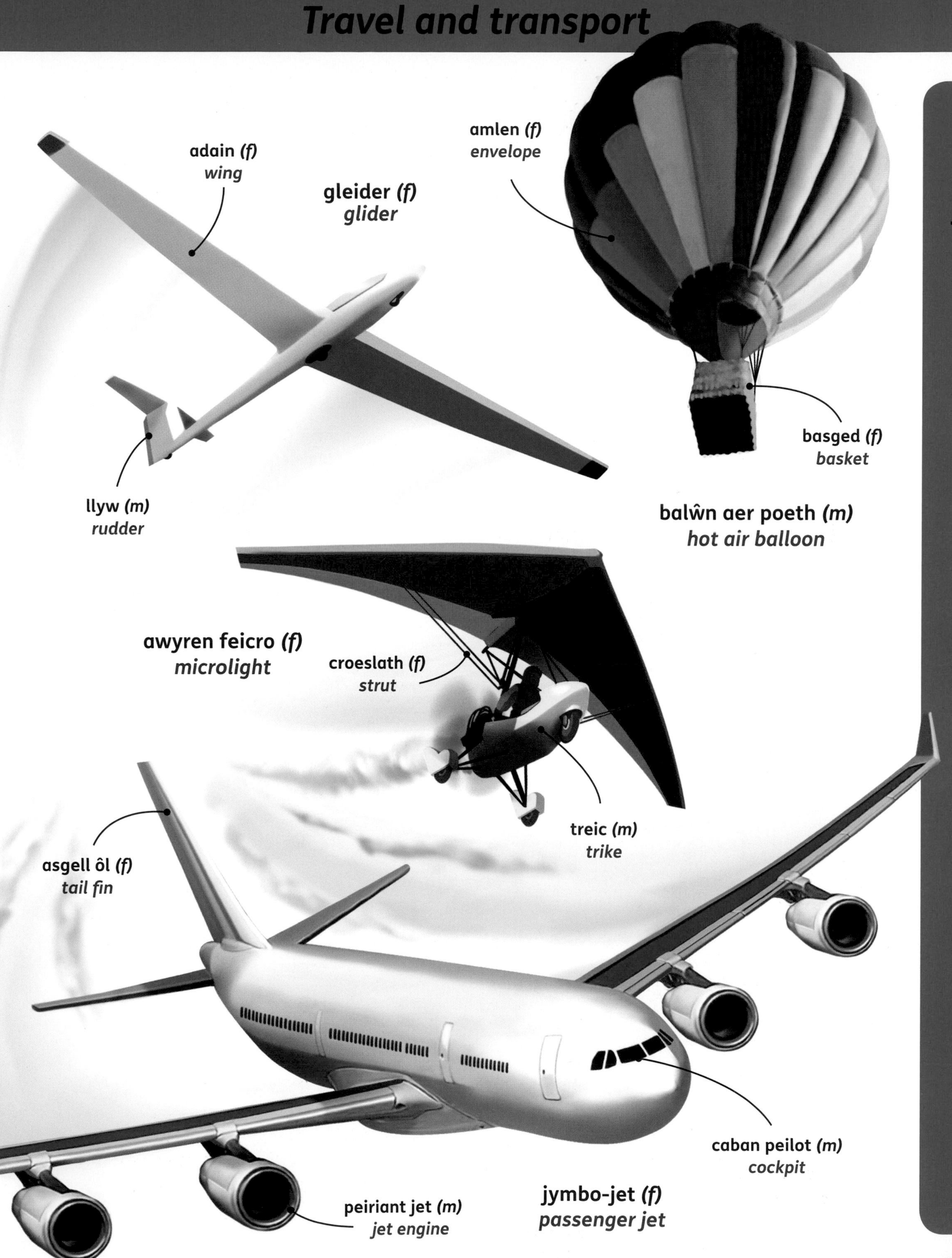
adain (f)
wing
gleider (f)
glider
llyw (m)
rudder
amlen (f)
envelope
basged (f)
basket
balŵn aer poeth (m)
hot air balloon
awyren feicro (f)
microlight
croeslath (f)
strut
treic (m)
trike
asgell ôl (f)
tail fin
caban peilot (m)
cockpit
jymbo-jet (f)
passenger jet
peiriant jet (m)
jet engine

Llongau, cychod, a badau eraill

Ships, boats, and other craft

Heddiw, mae gan y rhan fwyaf o longau a chychod mawr ryw fath o injan. Mae cychod hwylio'n dibynnu ar rym y gwynt. Mae gan gwch rhwyfo set o rwyfau, ac mae gan ganŵ badl.

Today, most large ships and boats have some kind of engine. Sailing boats rely on wind power. A rowing boat has a set of oars, and a canoe has a paddle.

Rhannau llong
Parts of a ship

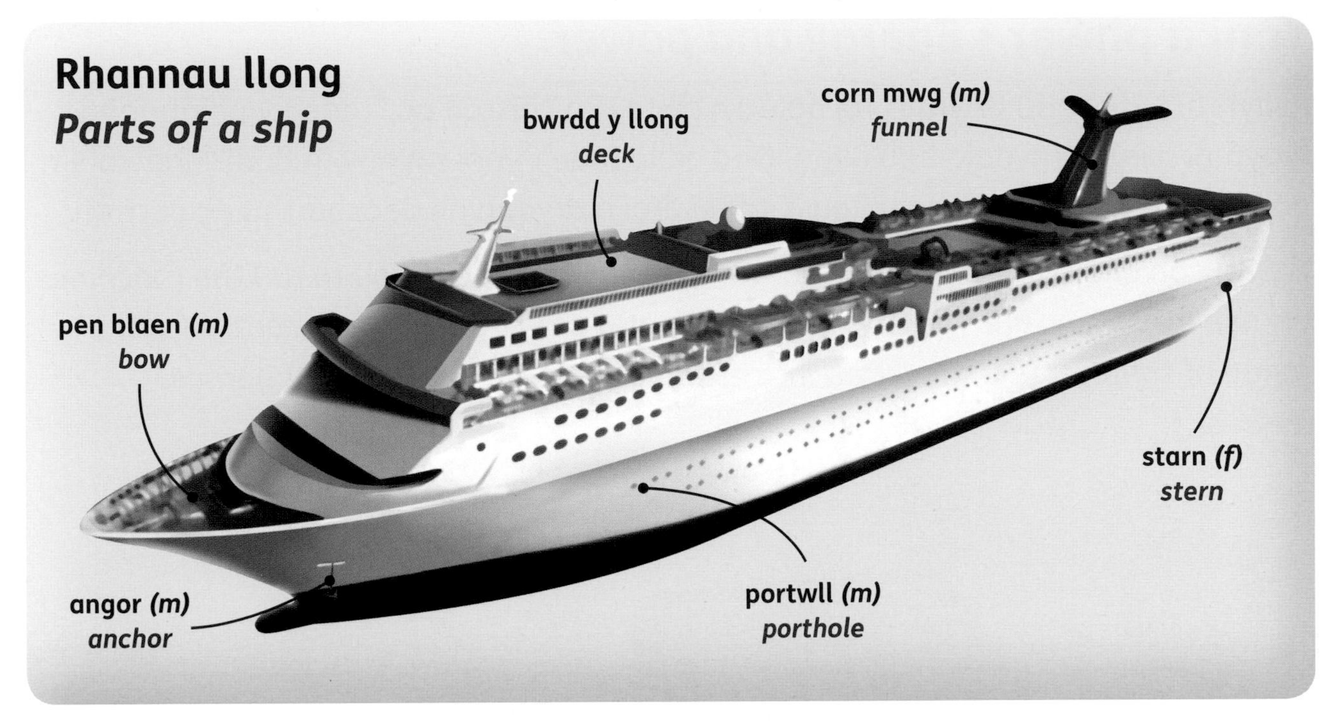

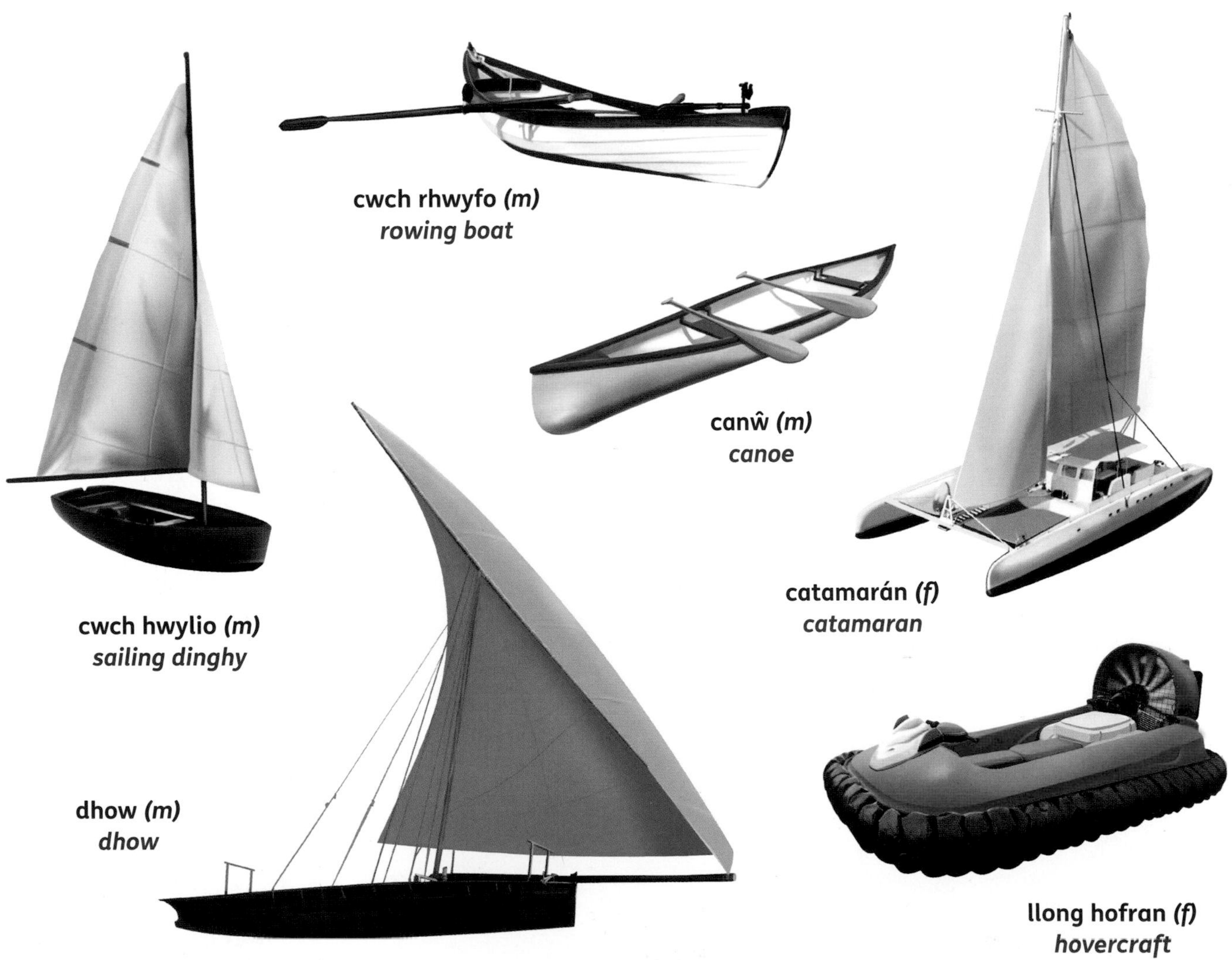

Ynni a phŵer • *Energy and power*

Rydyn ni'n dibynnu ar ynni i roi golau a gwres i'n cartrefi ac i redeg y peiriannau rydyn ni'n eu defnyddio bob dydd. Ond o ble mae'r ynni hwnnw'n dod? Mae ynni'n dod o amrywiaeth o ffynonellau. Caiff ei droi'n drydan a'i ddosbarthu i'n cartrefi.

We rely on energy to supply our homes with light and heat and to run the machines we use every day. But where does that energy come from? Energy comes from a range of sources. It is converted into electricity and delivered to our homes.

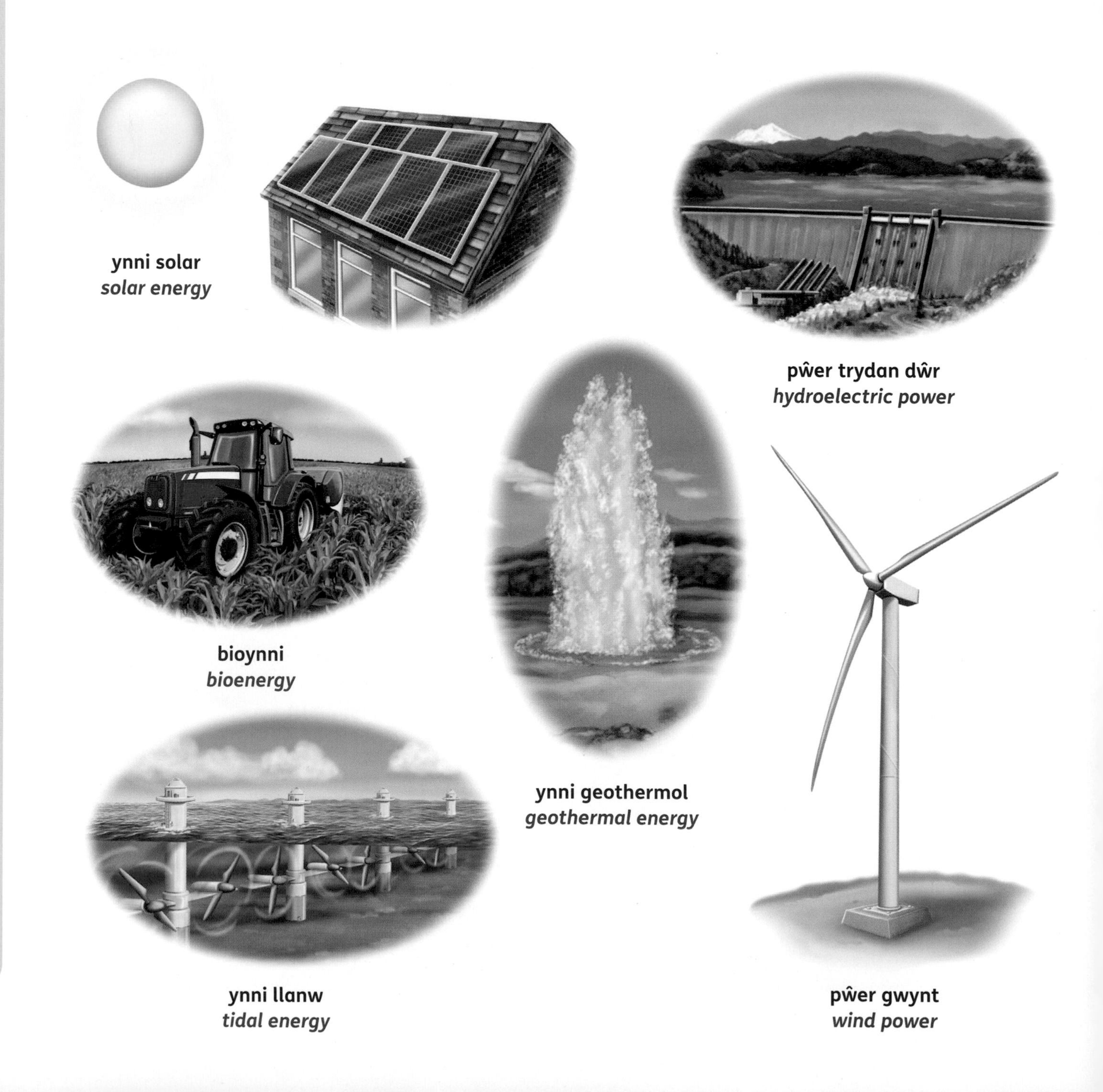

ynni solar
solar energy

pŵer trydan dŵr
hydroelectric power

bioynni
bioenergy

ynni geothermol
geothermal energy

ynni llanw
tidal energy

pŵer gwynt
wind power

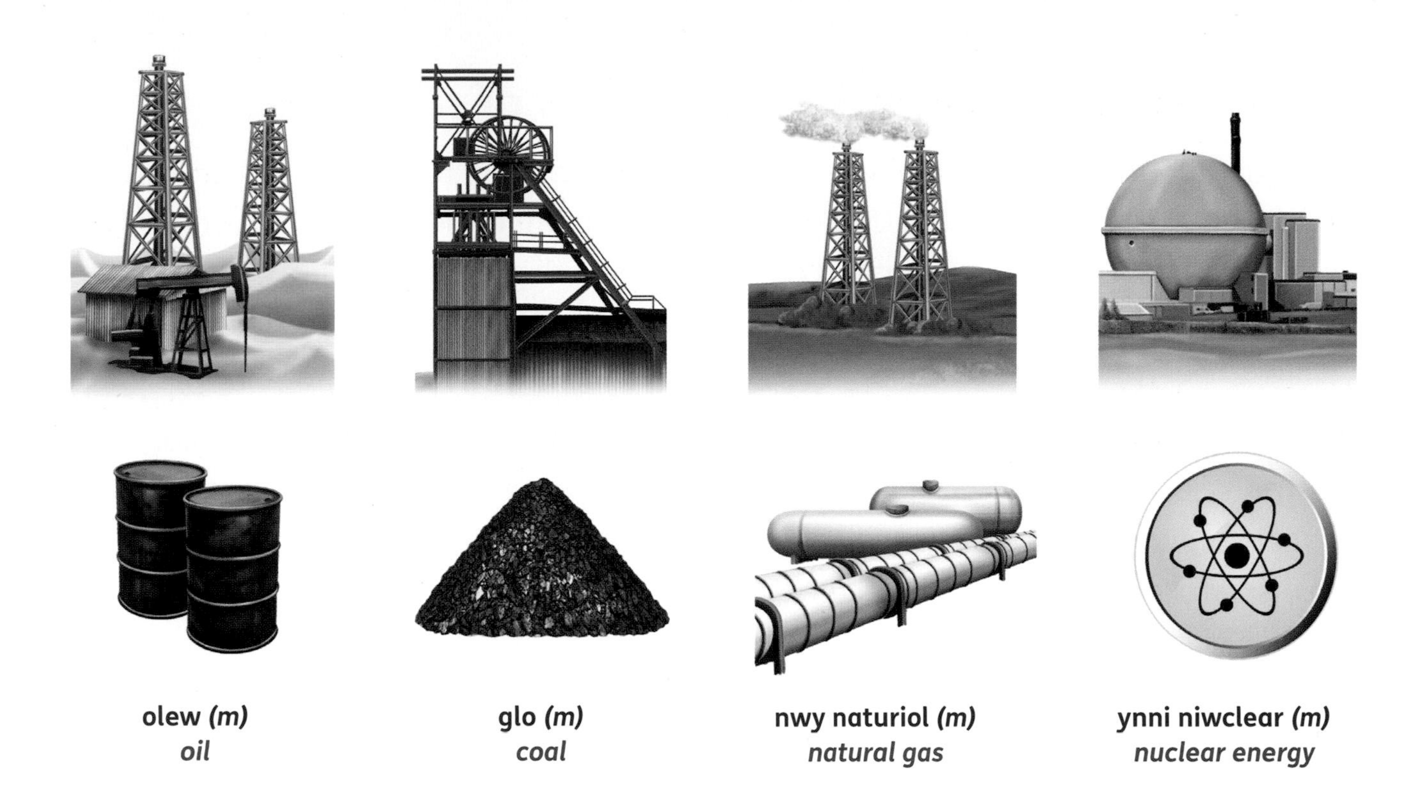

Symbolau cylchedau trydanol • *Electrical circuit symbols*

Mae trydan yn rhedeg drwy gylched. Mae'r gylched yn cynnwys sawl cydran neu ran, fel switsh, gwifren, a bwlb golau. Gellir dangos cylchedau trydanol fel diagramau. Mae gan ddiagramau cylchedau symbolau i gynrychioli pob cydran.

Electricity runs through a circuit. The circuit includes several components or parts, such as a switch, a wire, and a light bulb. Electrical circuits can be shown as diagrams. Circuit diagrams have symbols to represent each component.

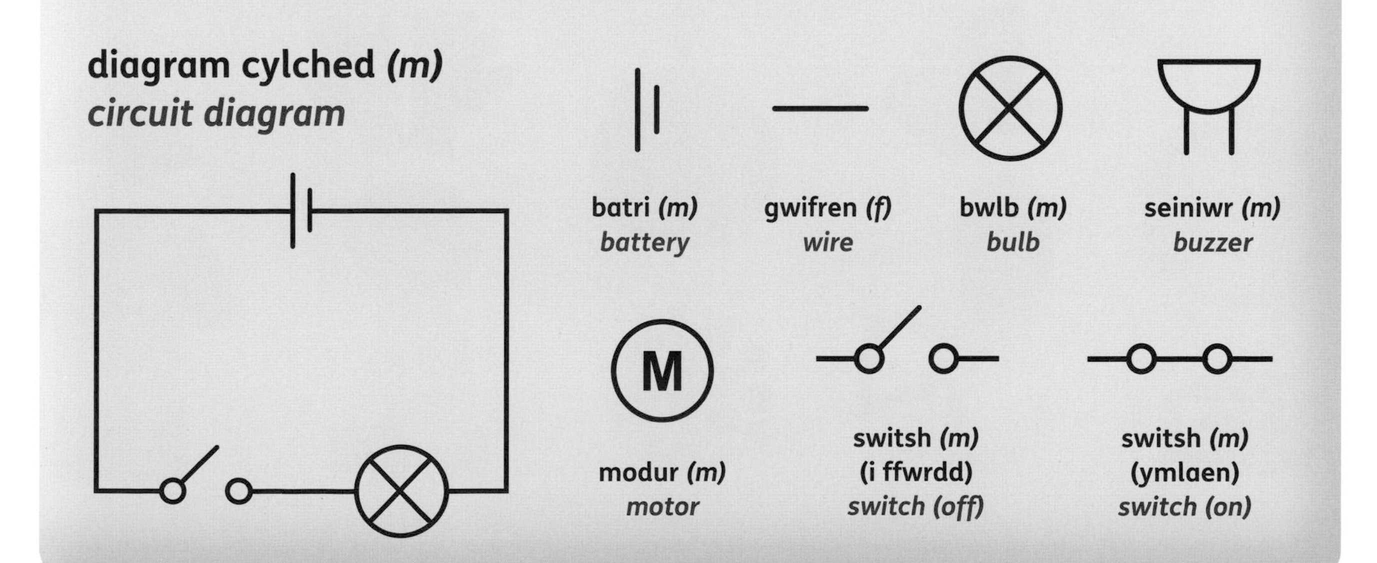

Pob math o ddeunyddiau • *All kinds of materials*

Mae gan ddeunyddiau wahanol briodweddau. Gallan nhw fod yn drwm neu'n ysgafn, yn hyblyg neu'n galed. Mae rhai deunyddiau'n fagnetig (yn gallu denu gwrthrychau sydd wedi eu gwneud o haearn). Mae rhai deunyddiau'n dargludo'n dda ac yn caniatáu i gerrynt trydan basio drwyddyn nhw. Mae eraill yn ynysu ac yn blocio ceryntau trydan.

Materials have different properties. They may be heavy or light, flexible or rigid. A few materials are magnetic (able to attract objects made of iron). Some materials are good conductors and allow an electric current to pass through them. Others are insulators and block electric currents.

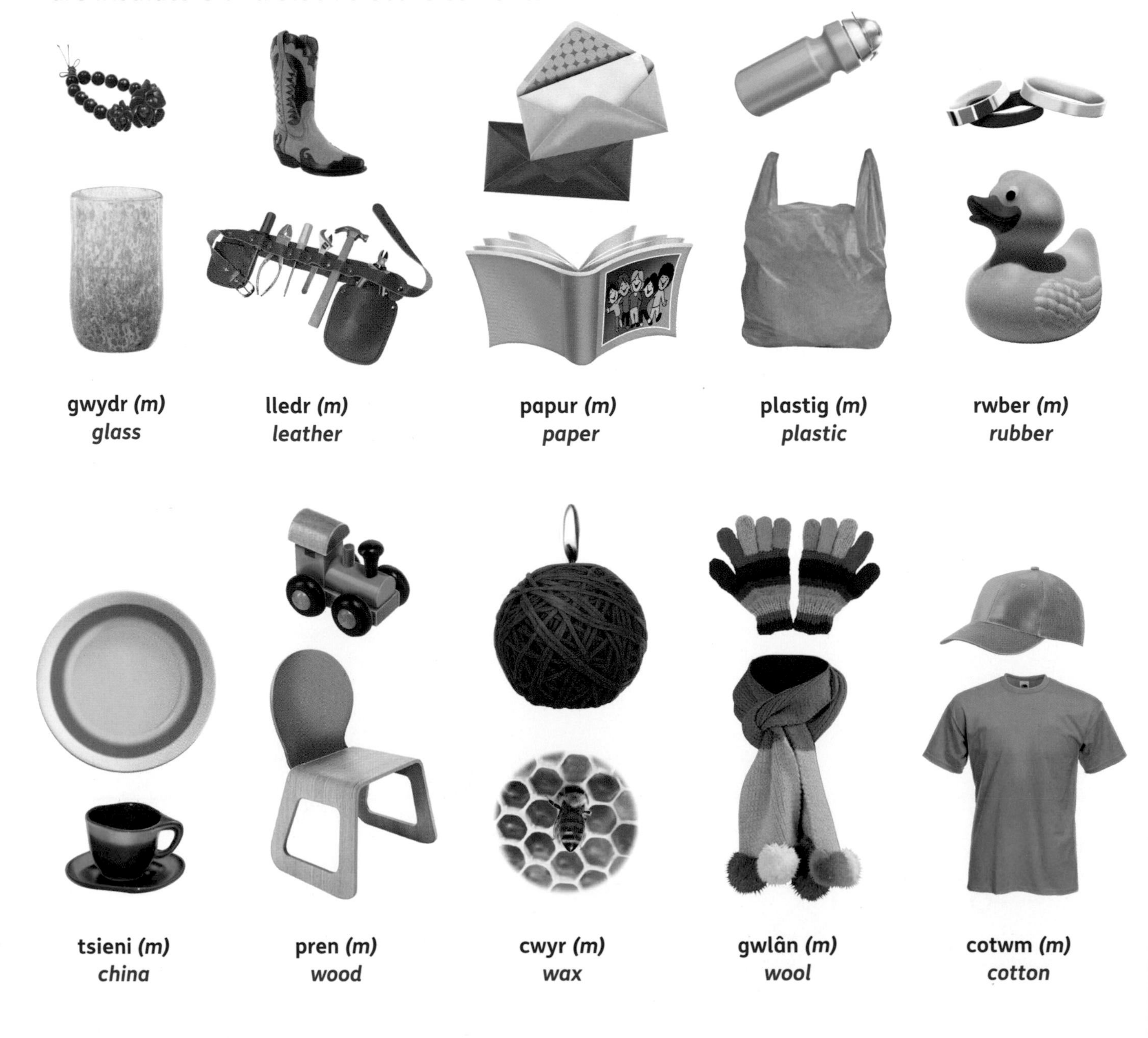

gwydr ***(m)***
glass

lledr ***(m)***
leather

papur ***(m)***
paper

plastig ***(m)***
plastic

rwber ***(m)***
rubber

tsieni ***(m)***
china

pren ***(m)***
wood

cwyr ***(m)***
wax

gwlân ***(m)***
wool

cotwm ***(m)***
cotton

Priodweddau deunyddiau
Properties of materials

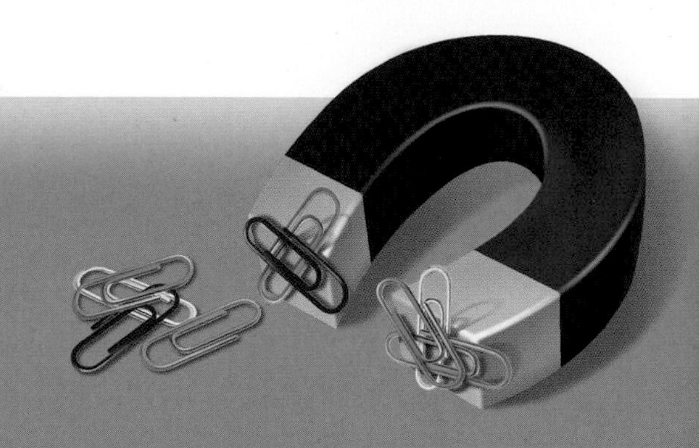

caled • hard
meddal • soft
tryloyw • transparent
di-draidd • opaque
garw • rough
sgleiniog • shiny
llyfn • smooth
magnetig • magnetic
dilewyrch • dull
diddos • waterproof
amsugnol • absorbent

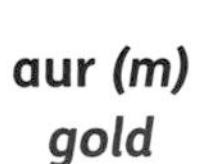

aur *(m)*
gold

arian *(m)*
silver

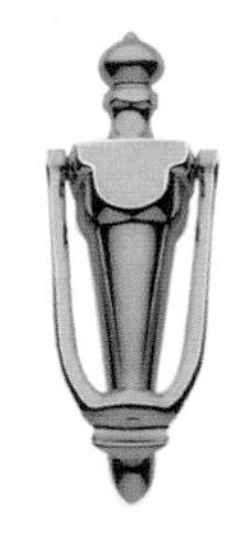

efydd *(m)*
bronze

carreg *(f)*
stone

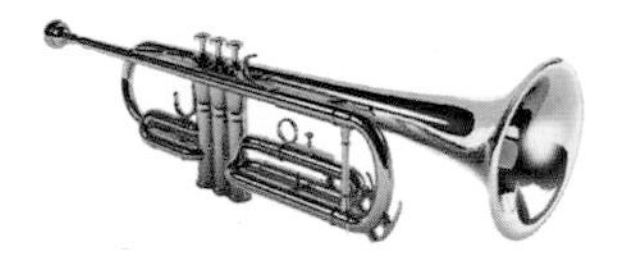

pres *(m)*
brass

haearn *(m)*
iron

dur *(m)*
steel

copr *(m)*
copper

Adeiladau a strwythurau • *Buildings and structures*

Mae angen i adeiladau a strwythurau fod yn gryf iawn. Gallan nhw fod wedi'u creu o amrywiaeth eang o ddeunyddiau. Gall adeiladwyr ddefnyddio carreg, pren, briciau, concrid, dur, neu wydr, neu gyfuniad o'r deunyddiau hyn.

Buildings and structures need to be very strong. They can be constructed from a wide range of materials. Builders may use stone, wood, bricks, concrete, steel, or glass, or a combination of these materials.

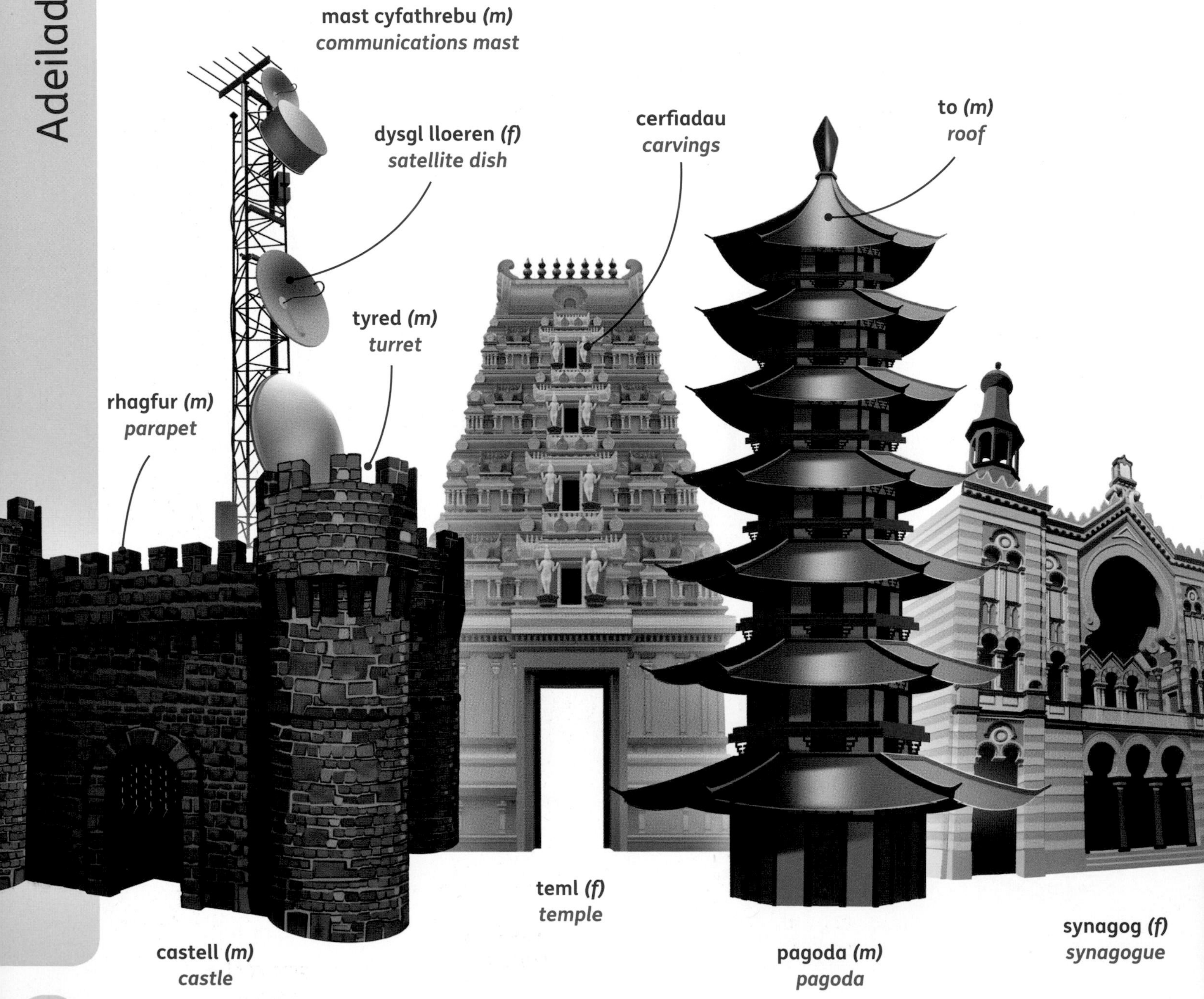

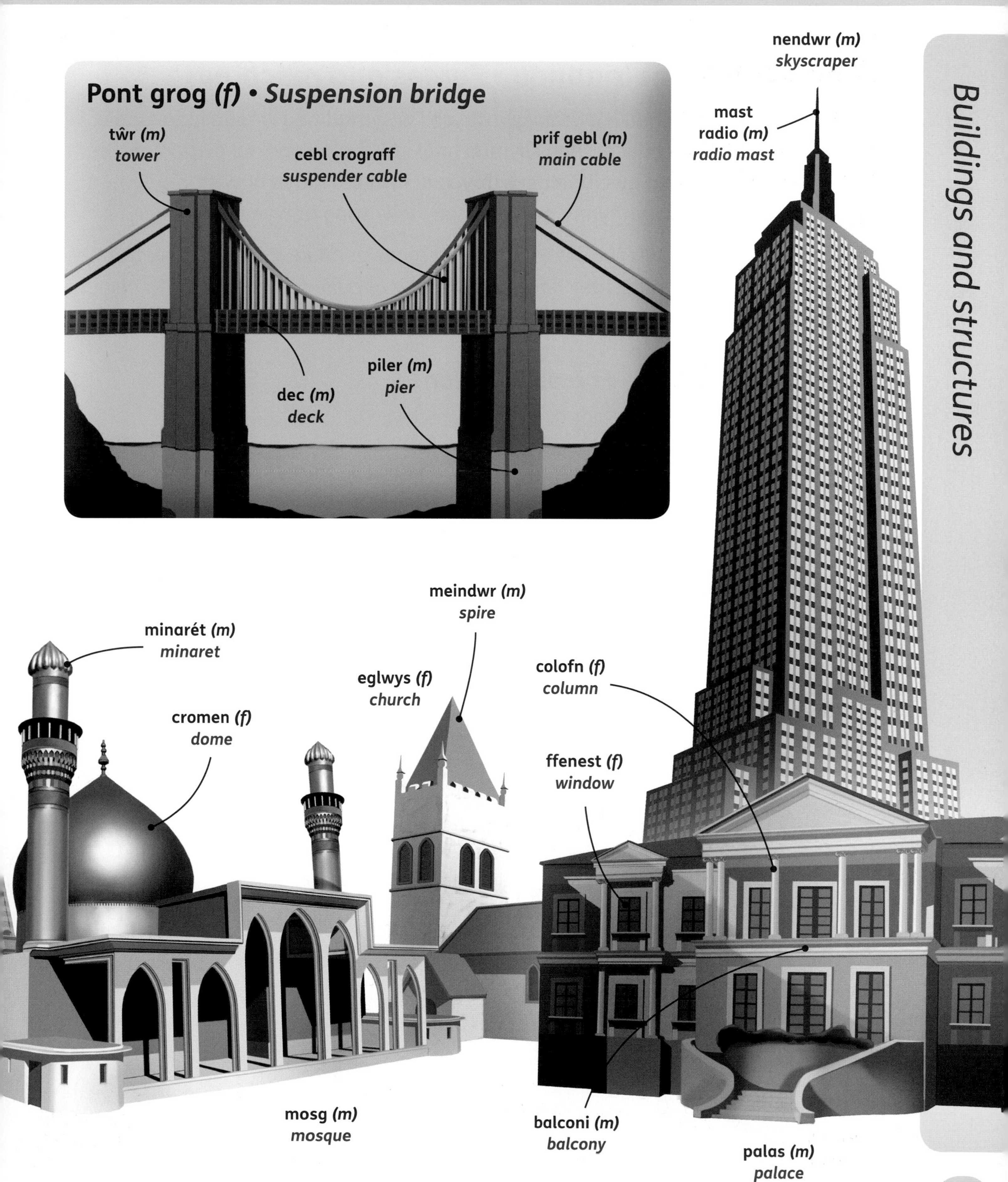
Pont grog (f) • Suspension bridge
tŵr (m)
tower
cebl crograff
suspender cable
prif gebl (m)
main cable
dec (m)
deck
piler (m)
pier
nendwr (m)
skyscraper
mast
radio (m)
radio mast
meindwr (m)
spire
minarét (m)
minaret
eglwys (f)
church
colofn (f)
column
cromen (f)
dome
ffenest (f)
window
mosg (m)
mosque
balconi (m)
balcony
palas (m)
palace

Grymoedd a pheiriannau • *Forces and machines*

Grymoedd sy'n tynnu neu'n gwthio gwrthrych i'w symud neu wneud iddo stopio. Mae momentwm yn cadw pethau i symud ar ôl iddyn nhw gael eu gwthio neu eu tynnu. Mae ffrithiant yn gweithio ar wrthrychau i wneud iddyn nhw stopio symud. Mae grym disgyrchiant yn tynnu gwrthrychau i lawr tuag at wyneb y ddaear.

Forces are pushes or pulls that make an object move or make it stop. Momentum keeps objects moving after they have been pushed or pulled. Friction acts on objects to make them stop moving. The force of gravity pulls objects down towards the Earth.

Grymoedd ar waith • *Forces in action*

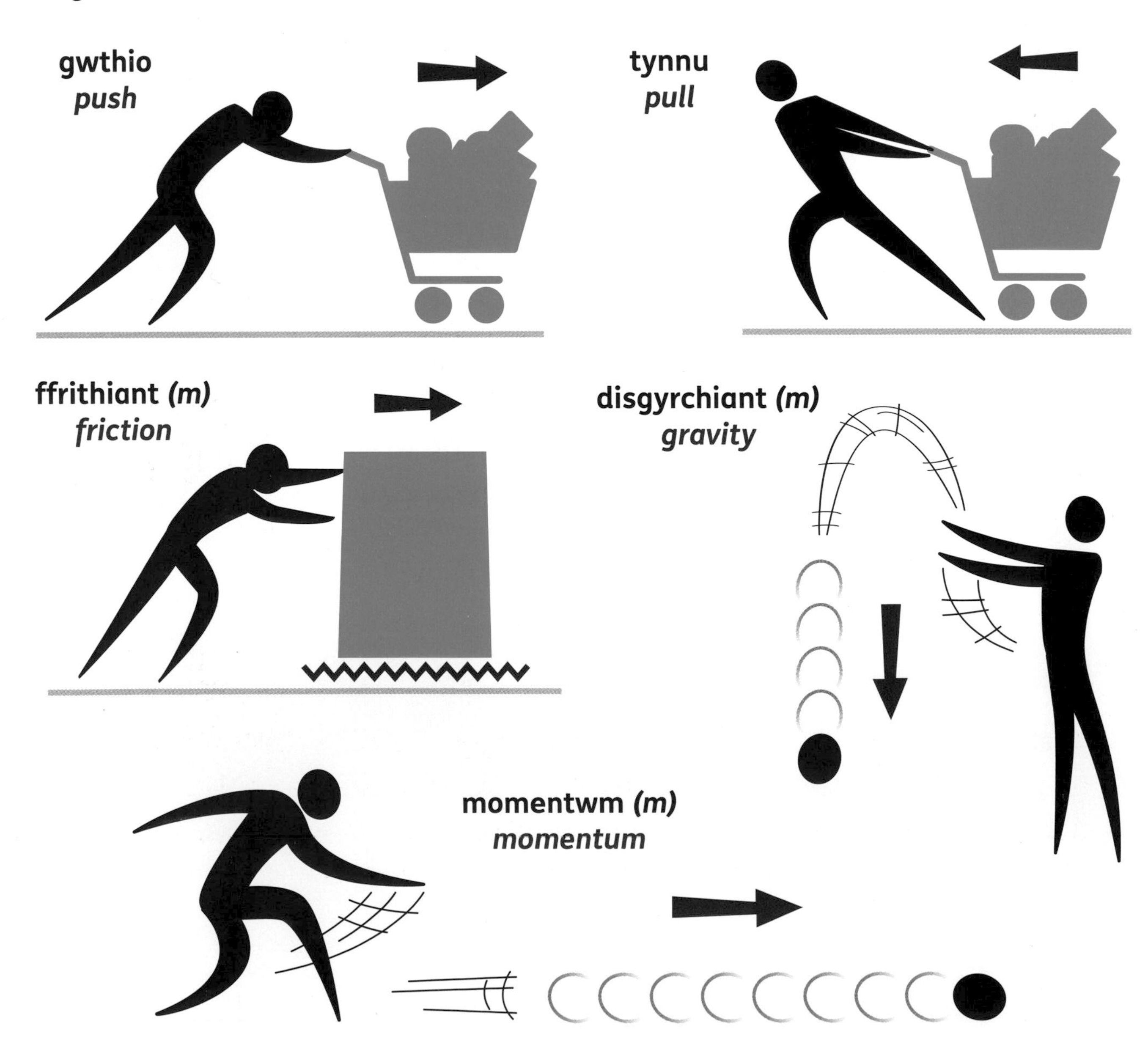

Peiriannau syml • *Simple machines*

Gall peiriannau wthio a thynnu er mwyn codi llwythi trwm.

Pushes and pulls can be used in machines to lift heavy loads.

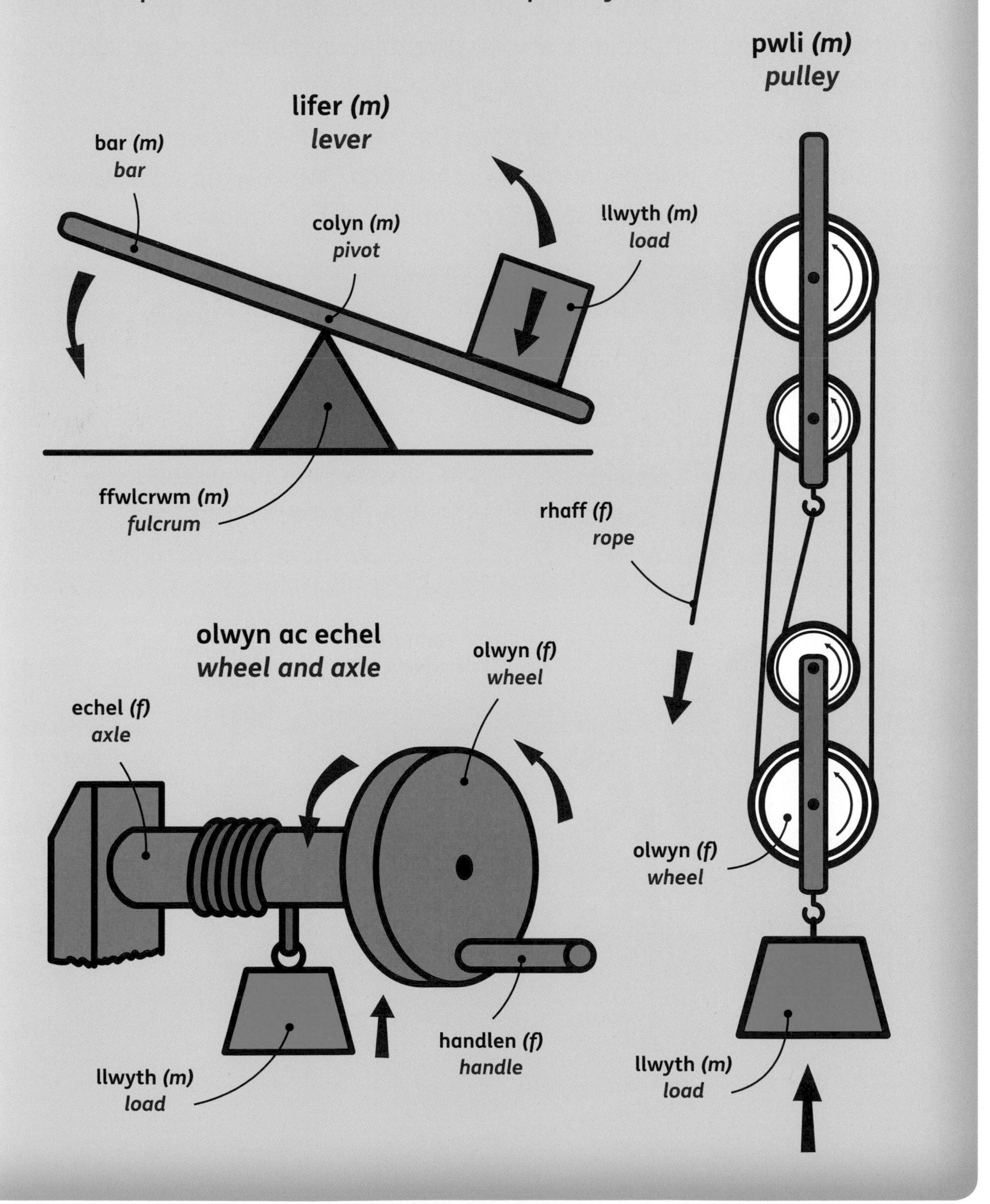

Cyfrifiaduron a dyfeisiau electronig
Computers and electronic devices

Mae cyfrifiaduron a dyfeisiau electronig yn trawsnewid y ffordd rydyn ni'n byw ac yn gweithio. Gallwn gyfathrebu ar unwaith â phobl dros y byd i gyd. Rydyn ni'n cadw mewn cysylltiad â ffrindiau drwy rwydweithiau cymdeithasol, ac yn chwilio am wybodaeth ar y rhyngrwyd.

Computers and electronic devices transform the way we live and work. We communicate instantly with people all over the world. We keep up with friends through social networks, and we search the Internet for information.

Ar y rhyngrwyd • *On the Internet*

atodiad *(m)* • *attachment*
tudalen gartref *(f)* • *home page*
sgwrsio • *chat*
cysylltu • *connect*
e-bost *(m)* • *email*
blog *(m)* • *blog*
trydariad *(m)* • *tweet*
chwilio • *search*
pori • *browse*
syrffio • *surf*
lawrlwytho • *download*
llwytho (i fyny) • *upload*
wi-fi *(m)* • *wi-fi*

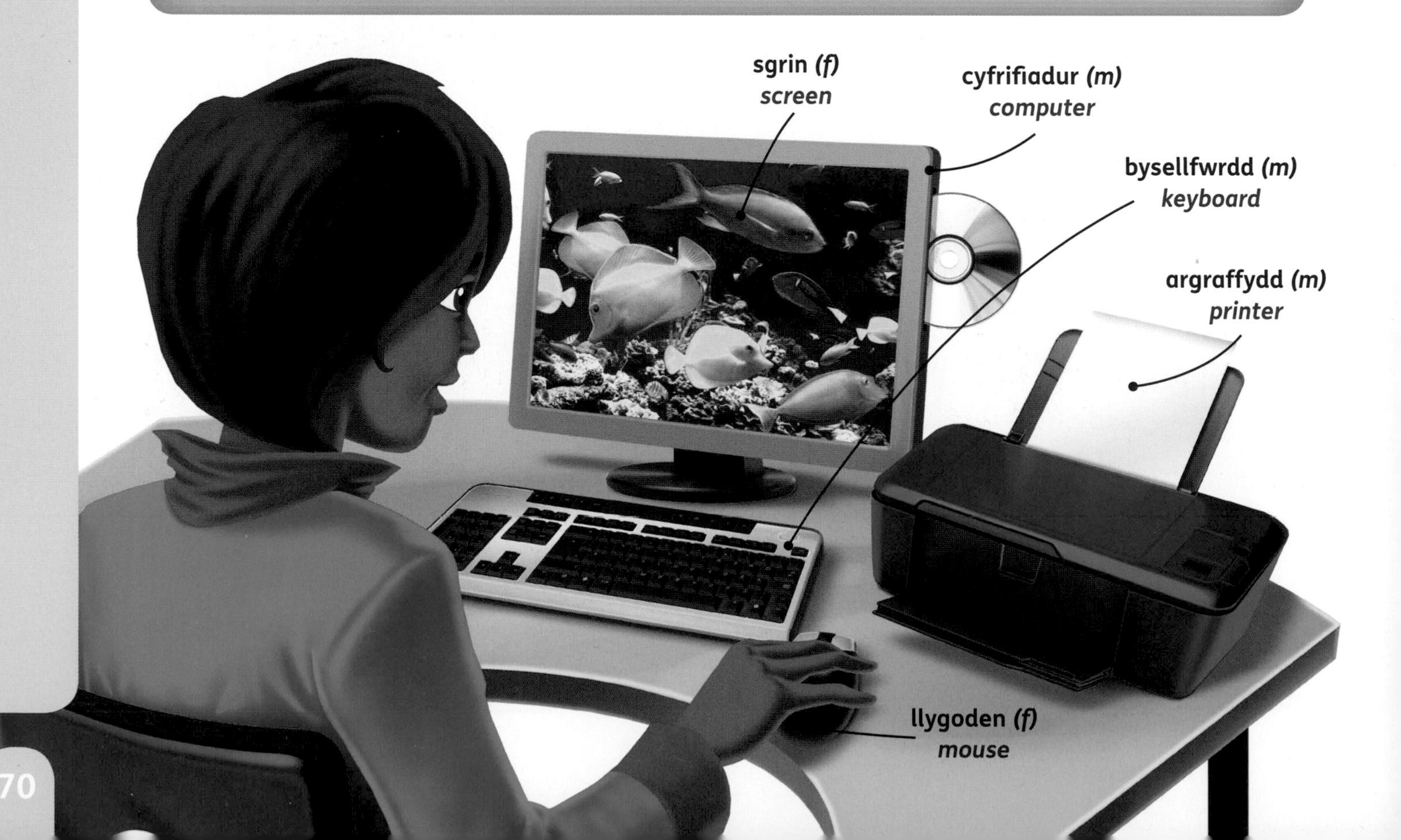

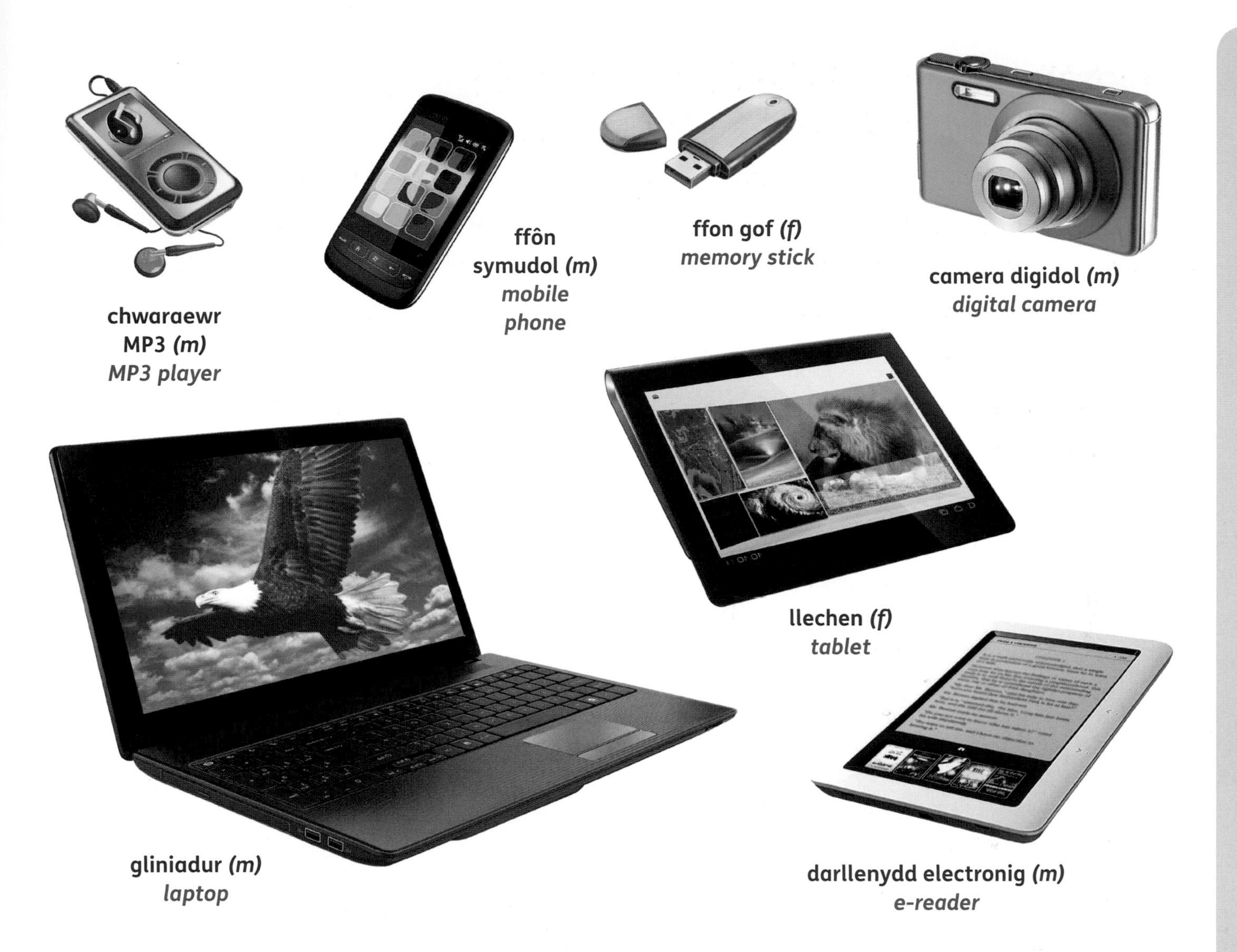

chwaraewr MP3 *(m)*
MP3 player

ffôn symudol *(m)*
mobile phone

ffon gof *(f)*
memory stick

camera digidol *(m)*
digital camera

llechen *(f)*
tablet

gliniadur *(m)*
laptop

darllenydd electronig *(m)*
e-reader

Gweithrediadau cyfrifiadurol • *Computer actions*

cysylltu • *connect*
mewngofnodi • *log on*
allgofnodi • *log off*
teipio • *type*
sgrolio • *scroll*
clicio • *click*
llusgo • *drag*
torri • *cut*
gludo • *paste*
mewnosod • *insert*
dileu • *delete*
fformatio • *format*
golygu • *edit*
gwirio sillafu • *spell check*
argraffu • *print*
sganio • *scan*
cadw • *save*
gwneud copi wrth gefn • *back up*

Mamaliaid • *Mammals*

Mae gan famaliaid waed cynnes, sy'n golygu eu bod yn gallu cadw'n gynnes hyd yn oed mewn amgylchiadau oer. Mae mamaliaid benyw yn geni babanod byw (yn hytrach nag wyau) ac yn bwydo'u babanod â llaeth. Gall mamaliaid amrywio mewn maint o lygod ac ystlumod bach i eliffantod, morfilod, a dolffiniaid enfawr.

Mammals are warm-blooded, which means they can stay warm even in cold surroundings. Female mammals give birth to live babies (rather than eggs) and feed their babies with milk. Mammals range in size from tiny mice and bats to enormous elephants, whales, and dolphins.

Anarferol ac eithriadol
Unusual and extraordinary

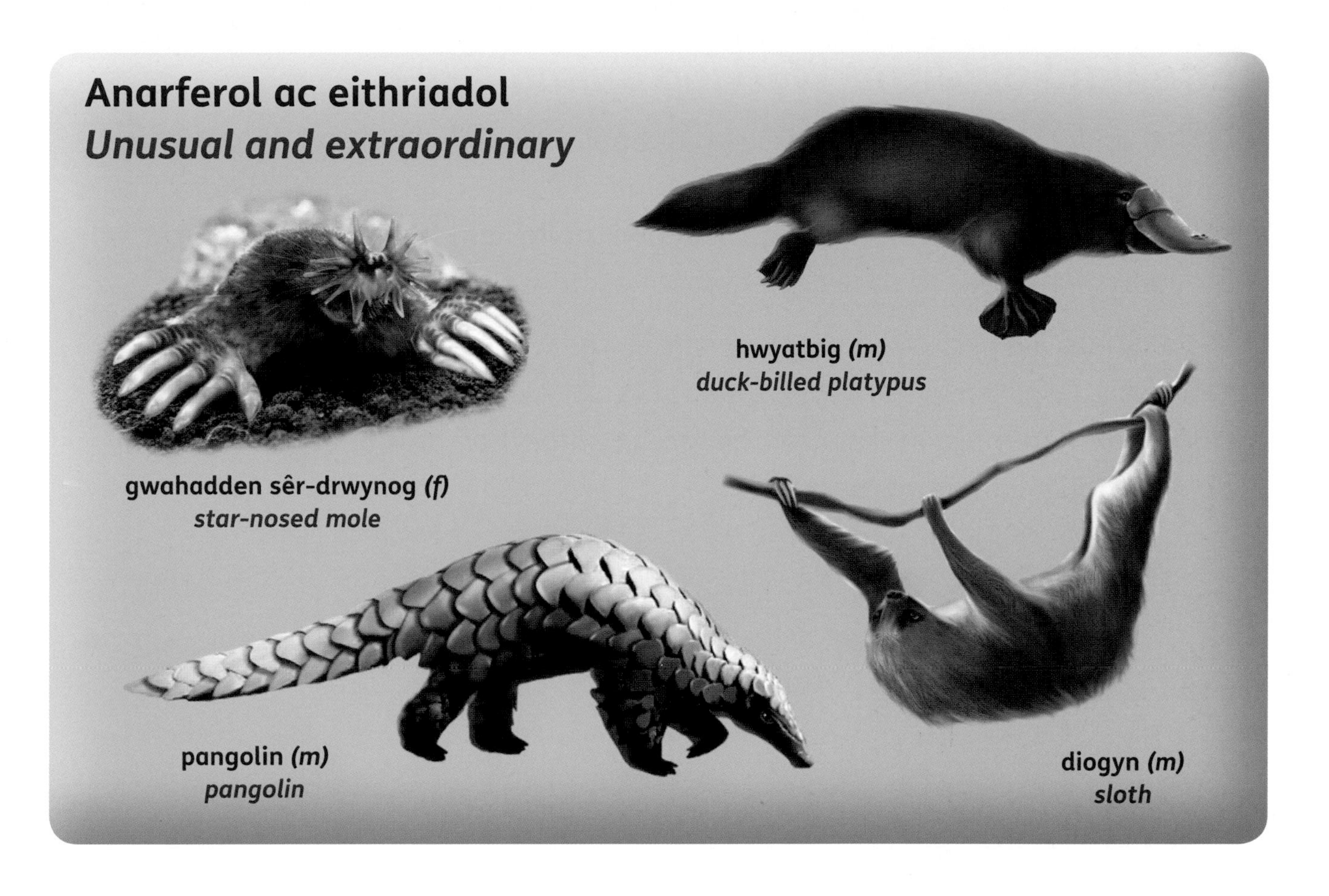

hwyatbig *(m)*
duck-billed platypus

gwahadden sêr-drwynog *(f)*
star-nosed mole

pangolin *(m)*
pangolin

diogyn *(m)*
sloth

sebra *(m)*
zebra

lama *(m)*
llama

carw *(m)*
deer

gwiwer *(f)*
squirrel

gwiwer resog *(f)*
chipmunk

gorila *(m)*
gorilla

llew *(m)*
lion

panther *(m)*
panther

cangarŵ *(m)*
kangaroo

llewpart hela *(m)*
cheetah

Anifeiliaid gwaith • *Working animals*

Mae rhai anifeiliaid yn byw'n agos iawn at bobl. Gall anifeiliaid gwaith mawr dynnu neu wthio llwythi trwm. Gall cŵn wneud llawer o dasgau defnyddiol, fel casglu defaid, dilyn llwybrau neu hela. Cedwir anifeiliaid fferm ar gyfer eu cig, eu llaeth, neu eu hwyau, ac mae llawer o bobl yn hoffi cadw anifeiliaid anwes.

Some animals live very closely with people. Large working animals pull or carry heavy loads. Dogs perform many useful tasks, such as herding sheep, tracking, or hunting. Farm animals are kept for their meat or for their milk or eggs, and many people like to keep animals as pets.

Anifeiliaid bach
Small animals

Ymlusgiaid ac amffibiaid • *Reptiles and amphibians*

Mae ymlusgiaid yn dodwy wyau ac mae ganddyn nhw groen cennog. Enghreifftiau ohonyn nhw yw crocodeilod, crwbanod a nadroedd. Mae gan amffibiaid groen llyfn sydd fel arfer yn teimlo'n llaith. Maen nhw'n byw ar y tir ond yn bridio yn y dŵr ac enghreifftiau ohonyn nhw yw llyffantod, brogaod a madfallod.

Reptiles lay eggs and have scaly skin. They include crocodiles, tortoises, and snakes. Amphibians have smooth skin that usually feels damp. They live on land but breed in water. Amphibians include toads, frogs, and newts.

crwban y môr *(m)*
turtle

crwban *(m)*
tortoise

madfall *(f)*
lizard

igwana *(m)*
iguana

cameleon *(m)*
chameleon

draig Comodo *(f)*
Komodo dragon

salamandr *(m)*
salamander

Nadroedd • *Snakes*

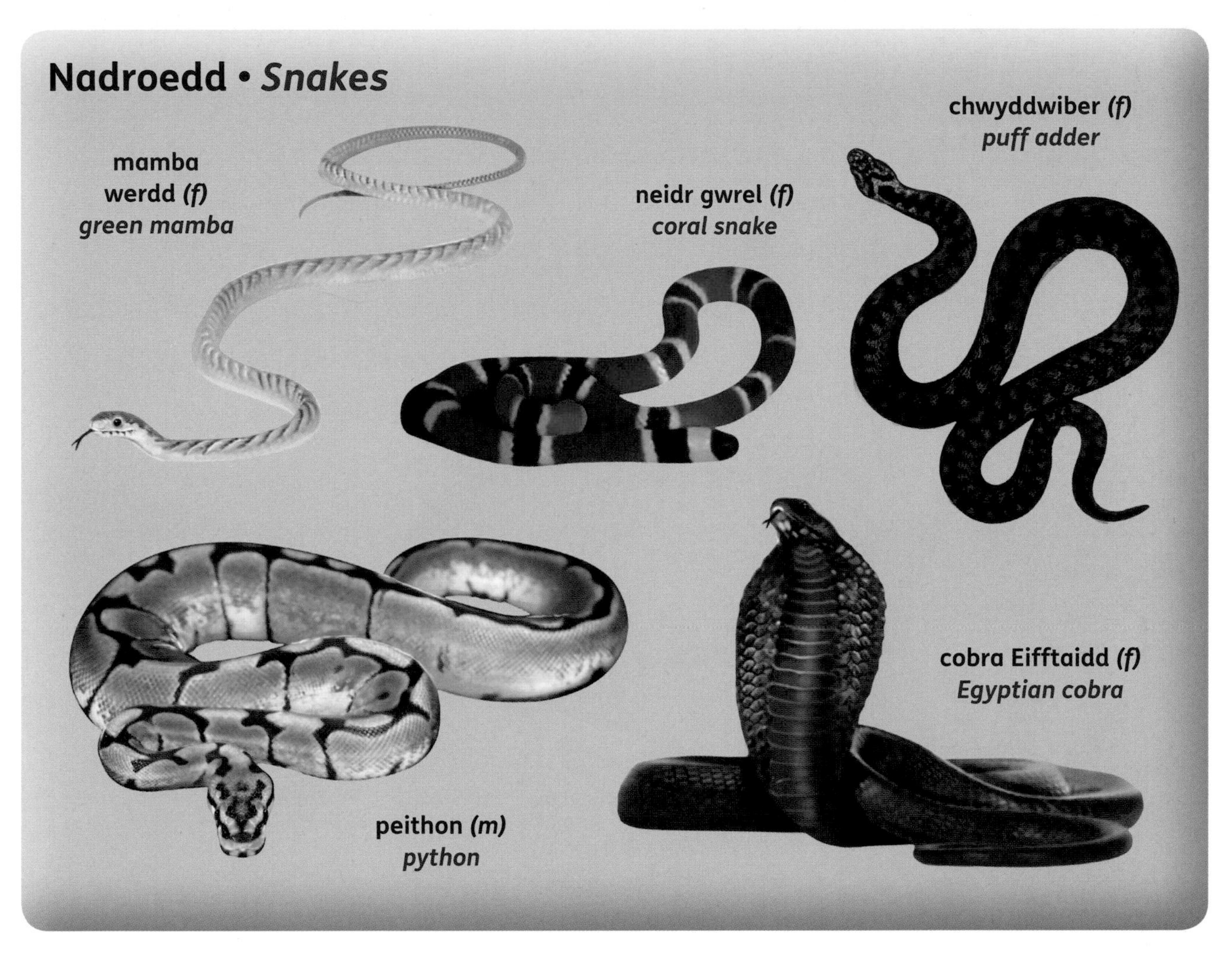

mamba werdd ***(f)***
green mamba

neidr gwrel ***(f)***
coral snake

chwyddwiber ***(f)***
puff adder

peithon ***(m)***
python

cobra Eifftaidd ***(f)***
Egyptian cobra

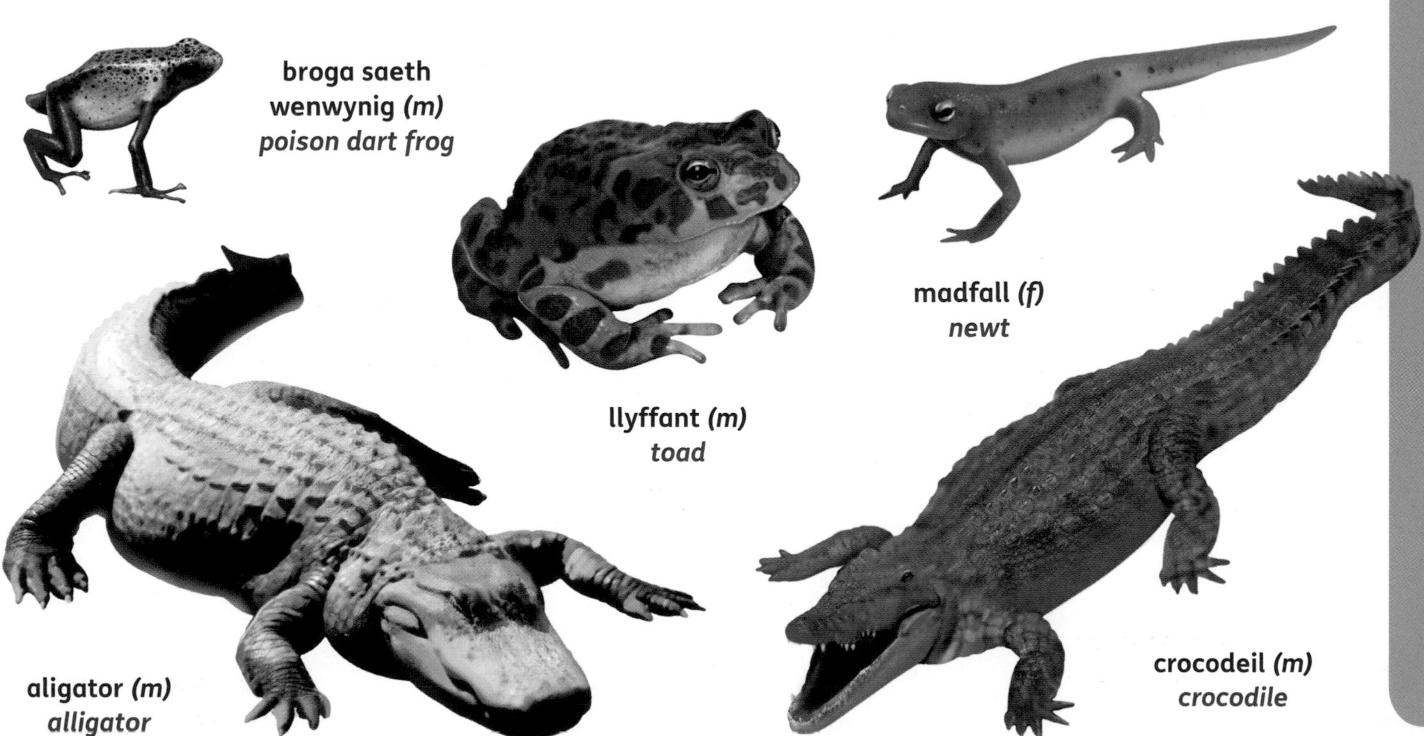

broga saeth wenwynig ***(m)***
poison dart frog

llyffant ***(m)***
toad

madfall ***(f)***
newt

aligator ***(m)***
alligator

crocodeil ***(m)***
crocodile

Pysgod • *Fish*

Mae pysgod yn byw ac yn bridio mewn dŵr. Mae'r rhan fwyaf o bysgod wedi eu gorchuddio â chen, ac maen nhw'n nofio drwy ddefnyddio eu hesgyll a'u cyrff a'u cynffonnau cryf. Mae pysgod yn defnyddio tagellau i anadlu dan y dŵr. Mae'r tagellau'n amsugno'r ocsigen sydd wedi toddi yn y dŵr.

Fish live and breed in water. Most fish are covered in scales, and they swim by using their fins and their powerful bodies and tails. Fish use gills to breathe under water. The gills take in the oxygen that is dissolved in water.

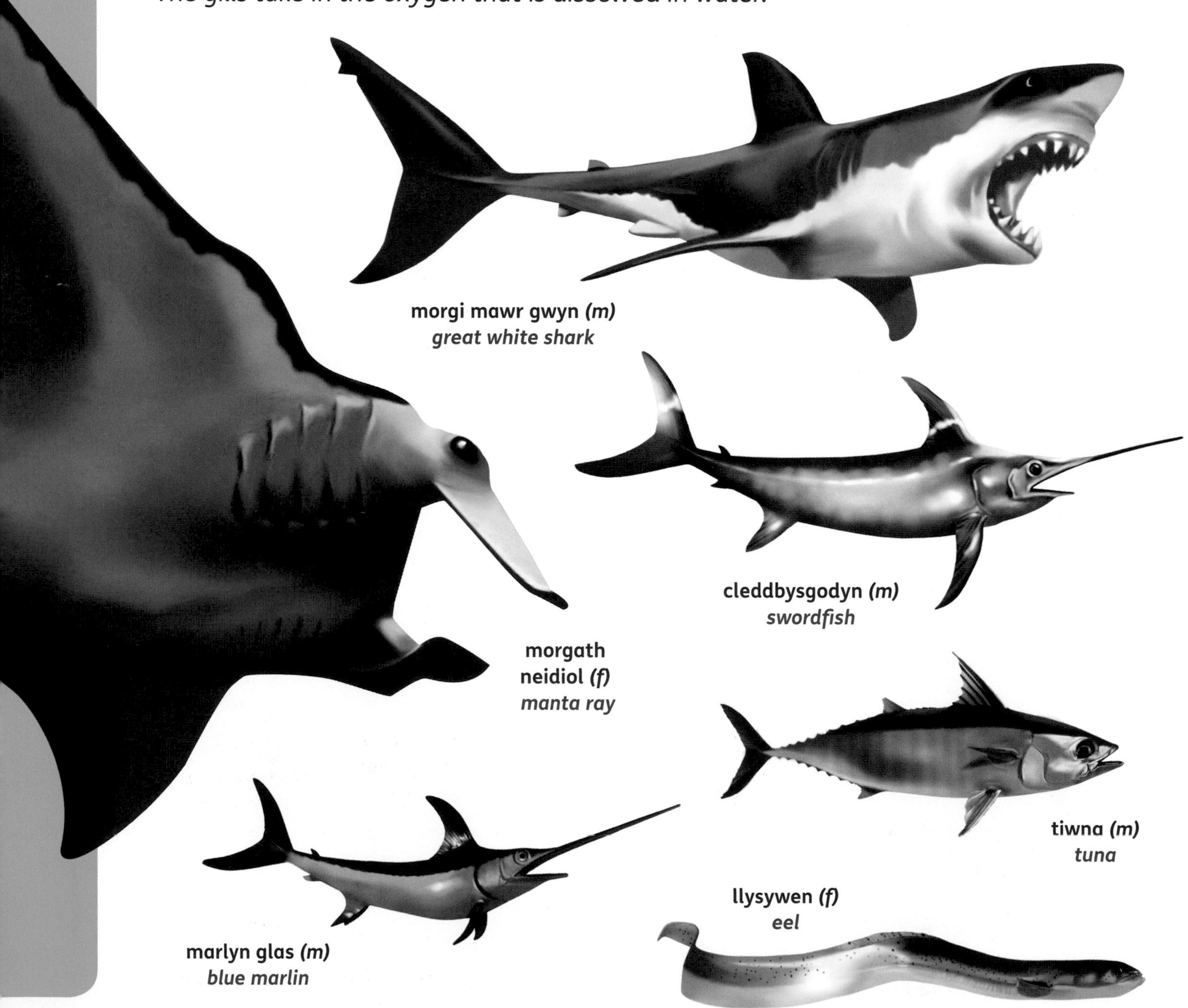

morgi mawr gwyn *(m)*
great white shark

cleddbysgodyn *(m)*
swordfish

morgath neidiol *(f)*
manta ray

tiwna *(m)*
tuna

llysywen *(f)*
eel

marlyn glas *(m)*
blue marlin

Rhannau pysgodyn • *Parts of a fish*

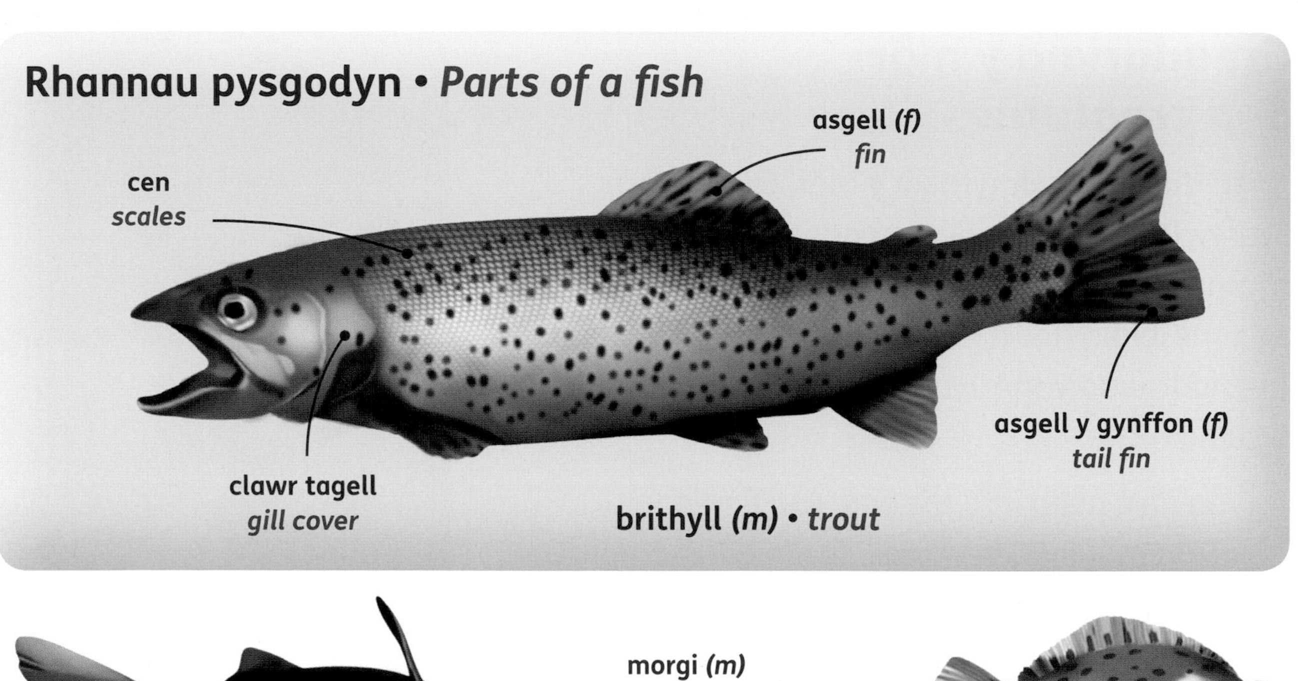

brithyll ***(m)*** • ***trout***

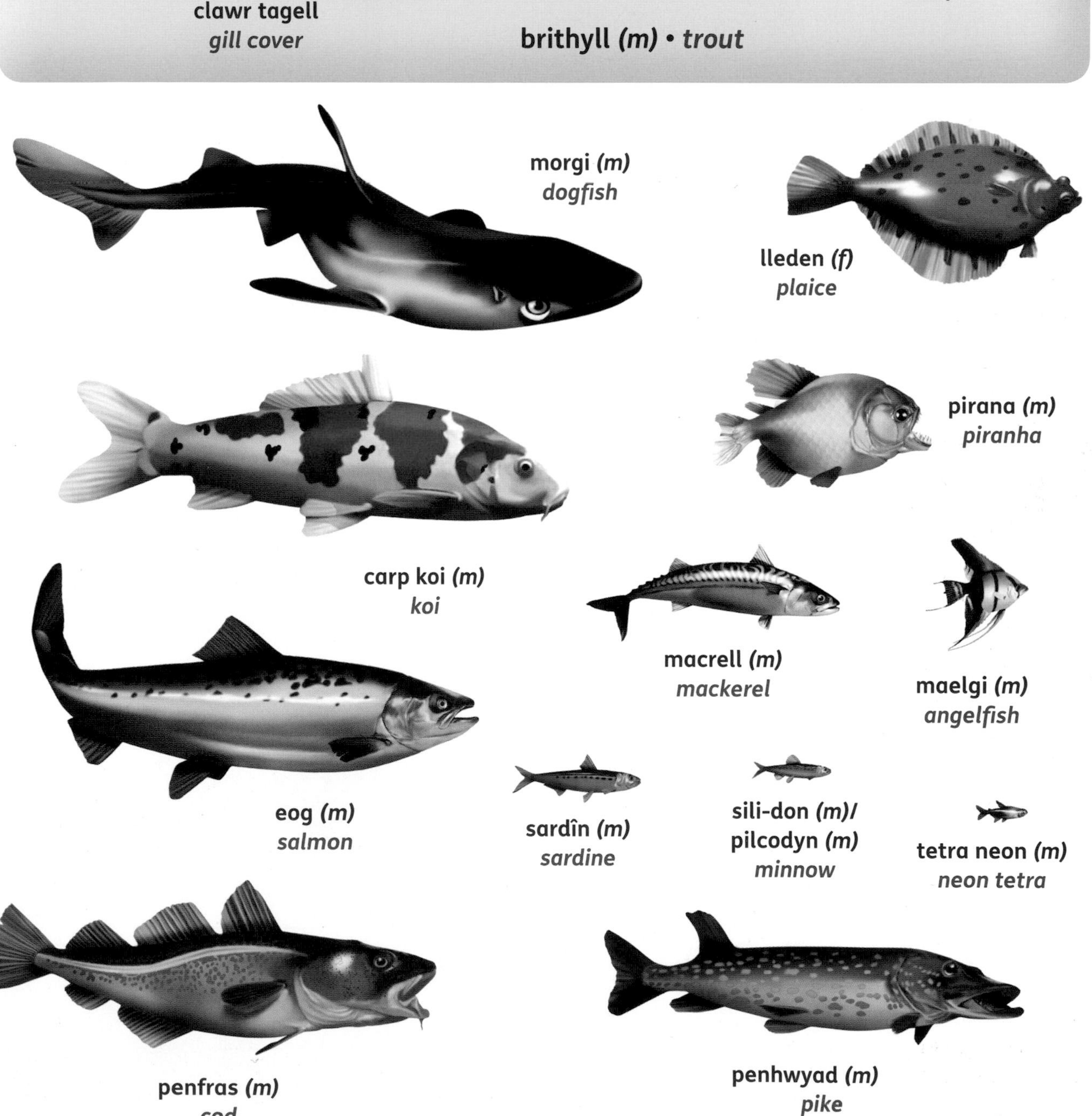

Creaduriaid y môr
Sea creatures

Wrth ddeifio yn ddwfn yn y môr, fe welwn amrywiaeth anhygoel o greaduriaid. Ceir mamaliaid (fel morfilod a dolffiniaid), yn ogystal ag amffibiaid (fel crwbanod môr), ymlusgiaid môr (fel nadroedd y môr), a llawer o wahanol fathau o bysgod.

As you dive deep into the sea, you find an amazing range of creatures. There are mammals (such as whales and dolphins), amphibians (like turtles), marine reptiles (like sea snakes), and many varieties of fish.

1. **pysgodyn hedegog *(m)*** — *flying fish*
2. **pysgodyn yr anenomi *(m)*** — *anemone*
3. **morlo *(m)*** — *seal*
4. **morfil glas *(m)*** — *blue whale*
5. **octopws dumbo *(m)*** — *dumbo octopus*
6. **berdysen mantys *(f)*** — *mantis shrimp*
7. **copyn môr *(m)*/corryn môr *(m)*** — *sea spider*
8. **dolffin *(m)*** — *dolphin*
9. **walrws *(m)*** — *walrus*
10. **crwban y môr *(m)*** — *sea turtle*
11. **neidr fôr *(f)*** — *sea snake*
12. **octopws *(m)*** — *octopus*
13. **cimwch *(m)*** — *lobster*
14. **morfarch *(m)*** — *seahorse*
15. **carreg Bedr *(f)*** — *nautilus*
16. **morgi morfilaidd *(m)*** — *whale shark*
17. **môr-lawes enfawr *(f)*** — *giant squid*
18. **sglefren fôr enfawr *(f)*** — *giant jellyfish*
19. **morgi'r Ynys Las *(m)*** — *Greenland shark*
20. **chwerwddwr y môr *(m)*** — *sea cucumber*
21. **isopod enfawr *(m)*** — *giant isopod*

8
9
10
11
12
13
14
15
16
17
18
19
7
20
2
21

Pryfed a thrychfilod bach • *Insects and mini-beasts*

Mae gan bryfed chwe choes, dim asgwrn cefn, a chorff sydd wedi ei rannu'n dair rhan (y pen, y thoracs, a'r abdomen). Creaduriaid bychain eraill heb asgwrn cefn yw corynnod, pryfed cantroed, a chwilod. Gelwir y creaduriaid hyn yn drychfilod yn aml.

Insects have six legs, no backbone, and a body divided into three parts (the head, the thorax, and the abdomen). Other small creatures without a backbone include spiders, centipedes, and beetles. These creatures are often known as mini-beasts.

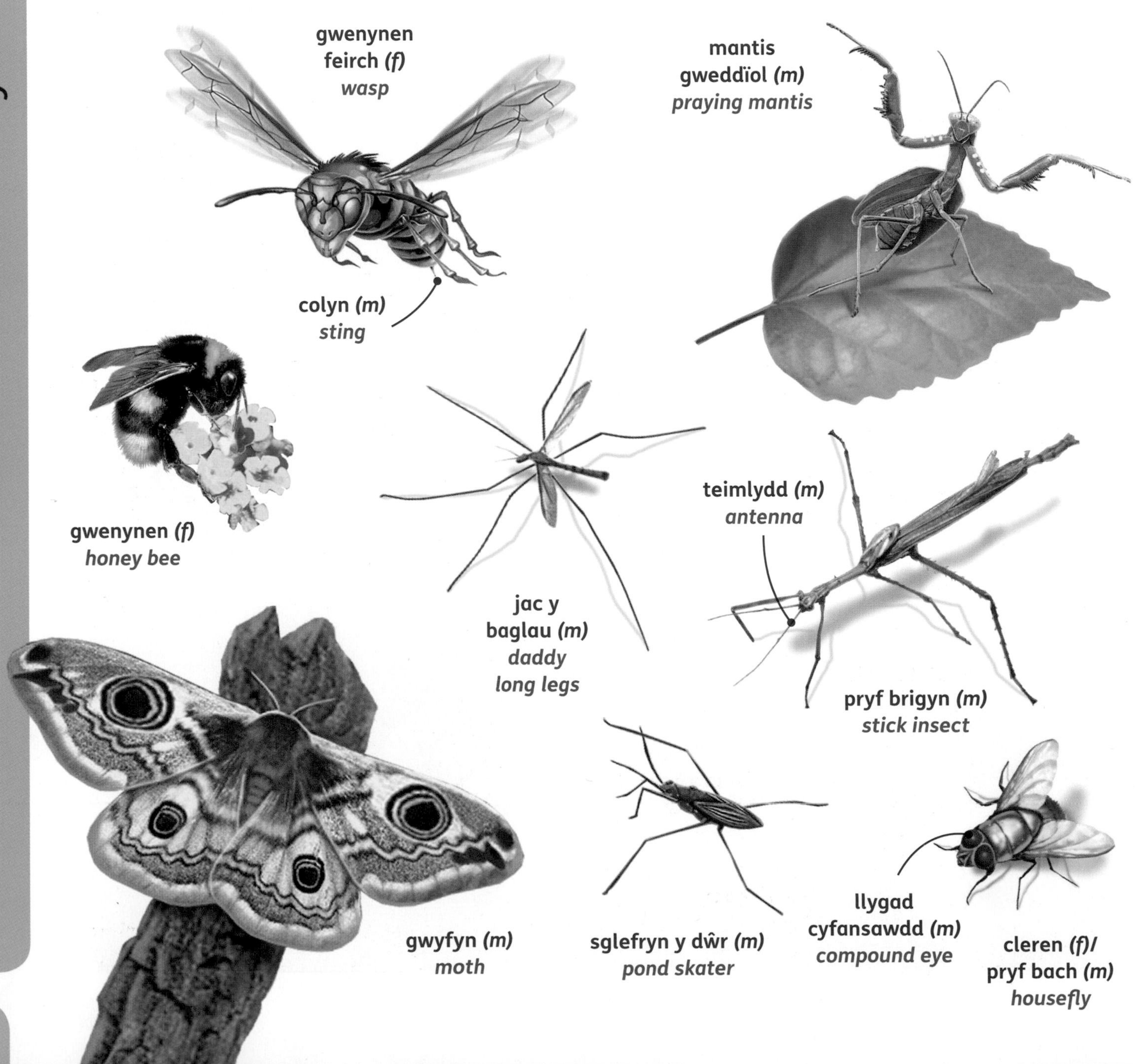

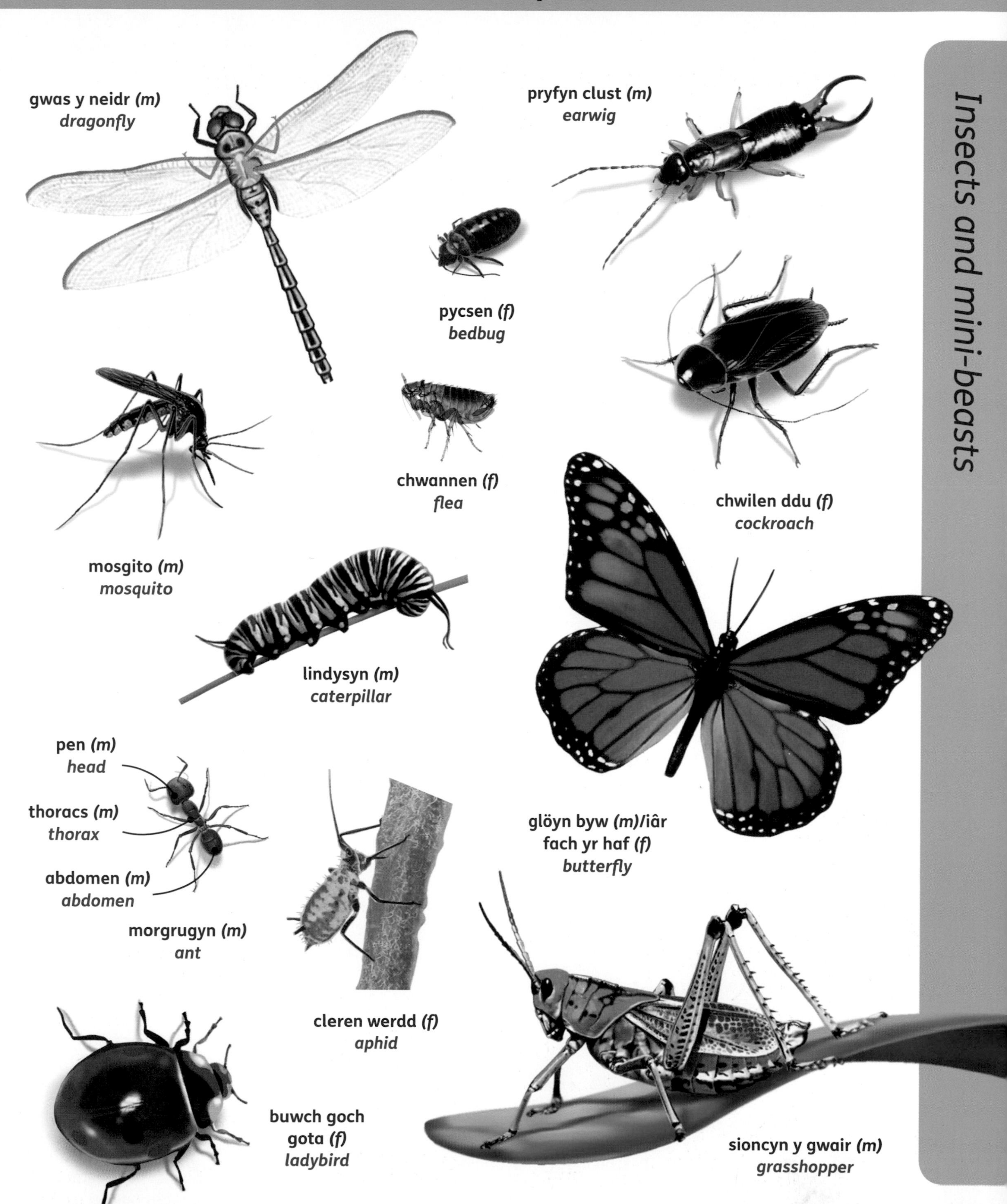

gwas y neidr **(m)**
dragonfly
pryfyn clust **(m)**
earwig
pycsen **(f)**
bedbug
chwannen **(f)**
flea
chwilen ddu **(f)**
cockroach
mosgito **(m)**
mosquito
lindysyn **(m)**
caterpillar
pen **(m)**
head
thoracs **(m)**
thorax
abdomen **(m)**
abdomen
morgrugyn **(m)**
ant
glöyn byw **(m)**/iâr fach yr haf **(f)**
butterfly
cleren werdd **(f)**
aphid
buwch goch gota **(f)**
ladybird
sioncyn y gwair **(m)**
grasshopper

Creaduriaid y nos • *Nocturnal creatures*

Mae anifeiliaid y nos yn cysgu neu'n gorffwys yn ystod y dydd, ac yn dod allan wrth iddi nosi neu yn y nos i edrych am fwyd.

Nocturnal creatures sleep or rest during the day. They come out in the evening or at night to look for food.

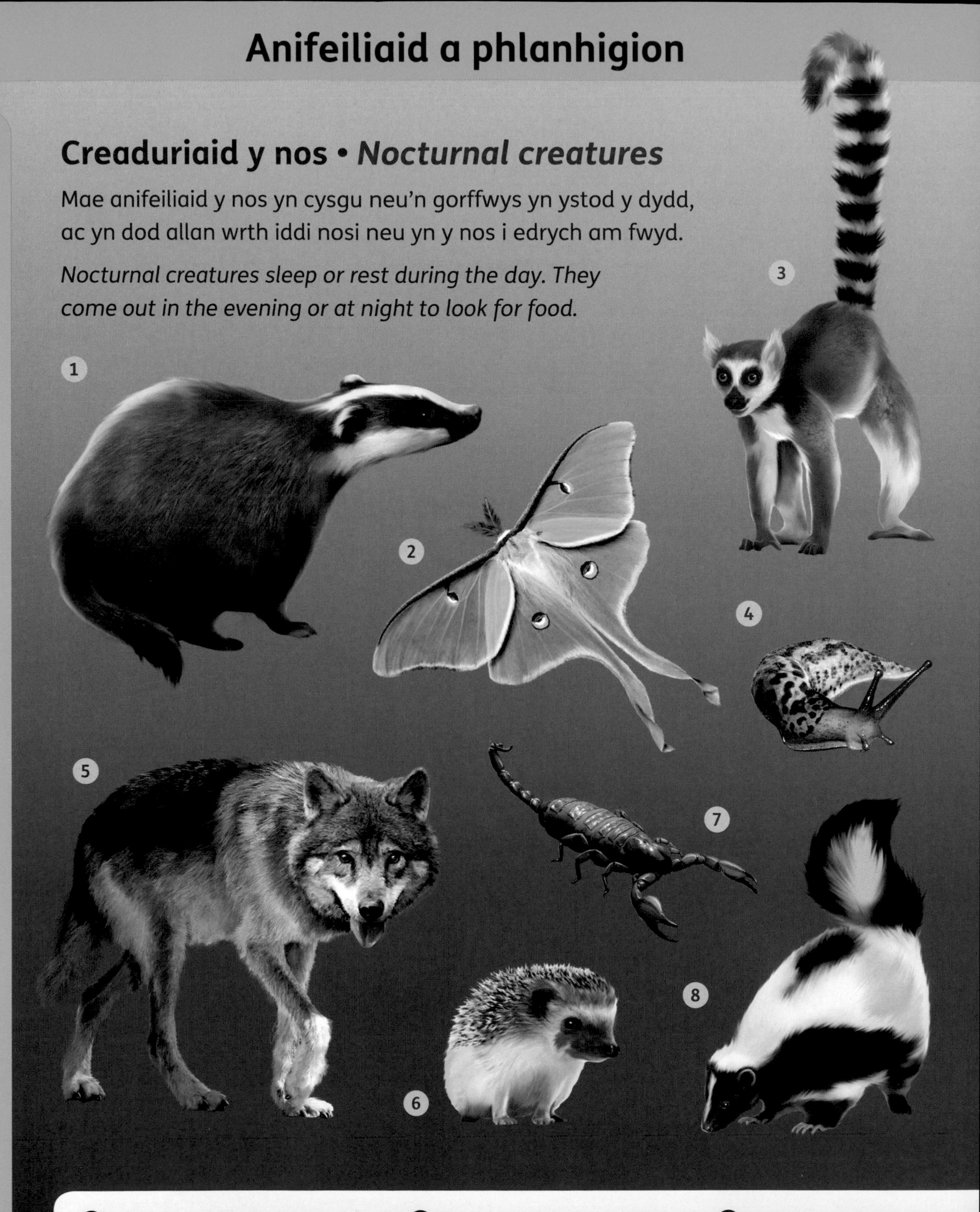

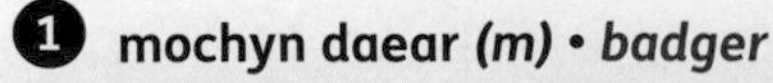

1. **mochyn daear *(m)*** • *badger*
2. **gwyfyn lloerennog *(m)*** • *luna moth*
3. **lemwr *(m)*** • *lemur*
4. **gwlithen fawr *(f)*** • *leopard slug*
5. **blaidd llwyd *(m)*** • *grey wolf*
6. **draenog *(m)*** • *hedgehog*
7. **sgorpion *(m)*** • *scorpion*
8. **drewgi *(m)*** • *skunk*
9. **ystlum fampir *(m)*** • *bat*

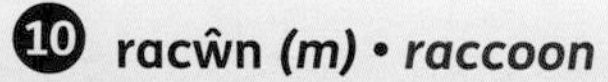

10 racŵn *(m)* • *raccoon*

11 pathew *(m)* • *dormouse*

12 tarsier *(m)* • *tarsier*

13 llwynog *(m)*/cadno *(m)* • *fox*

14 porciwpein *(m)* • *porcupine*

15 cranc ymfudol *(m)* • *hermit crab*

16 oposwm *(m)* • *possum*

17 armadilo *(m)* • *armadillo*

18 tylluan wen *(f)*/gwdihŵ *(f)*
barn owl

Adar • *Birds*

Mae gan adar ddwy goes, dwy adain a phig. Mae pob aderyn yn dodwy wyau ac maen nhw i gyd wedi eu gorchuddio â phlu. Gall y rhan fwyaf o adar hedfan, ar wahân i'r pengwin, yr emiw a'r estrys.

Birds have two legs, two wings, and a beak. All birds lay eggs and are covered with feathers. Most birds can fly, but there are some flightless birds, such as the penguin, the emu, and the ostrich.

glas y dorlan *(m)*
kingfisher

robin goch *(m)*
robin

gwennol *(f)*
swallow

cnocell y coed *(f)*
woodpecker

crëyr *(m)*
heron

y gog *(f)*/y gwcw *(f)*
cuckoo

aderyn du *(m)*
blackbird

paun *(m)*
peacock

Hynod ac anhygoel • Astonishing and amazing
llwybig wridog (f)
roseate spoonbill
cornylfin helmog (m)
helmeted hornbill
aderyn ffrigad (m)
frigate bird
fwltur (m)
vulture
eryr (m)
eagle
estrys (m)
ostrich
pelican (m)
pelican
fflamingo (m)
flamingo
pengwin (m)
penguin
pâl (m)
puffin
aderyn y si (m)
hummingbird

Coed a phrysgwydd • *Trees and shrubs*

Mae coed yn blanhigion mawr iawn sy'n cymryd blynyddoedd maith i gyrraedd eu maint llawn. Mae ganddyn nhw foncyff coediog a gwreiddiau dwfn. Prysgwydd yw llwyni sydd â choesau coediog. Yn eu plith ceir rhai perlysiau, fel lafant, rhosmari a theim.

Trees are very large plants that take many years to grow to their full size. They have a thick and woody trunk and very deep roots. Shrubs are bushes with woody stems. They include some herbs, such as lavender, rosemary, and sage.

coeden goch (f)
redwood

pinwydden (f)
pine

ywen (f)
yew

coeden faobab (f)
baobab

ffinydwydden (f)
fir

castanwydden (f)
horse chestnut

palmwydden (f)
palm

derwen (f)
oak

ffawydden (f)
beech

celynnen *(f)*
holly

olewydden *(f)*
olive

coeden geirios *(f)*
cherry

coeden afalau *(f)*
apple

coeden lemon *(f)*
lemon

mimosa *(m)*
mimosa

rhosmari *(m)*
rosemary

lafant *(m)*
lavender

Rhannau coeden
Parts of a tree

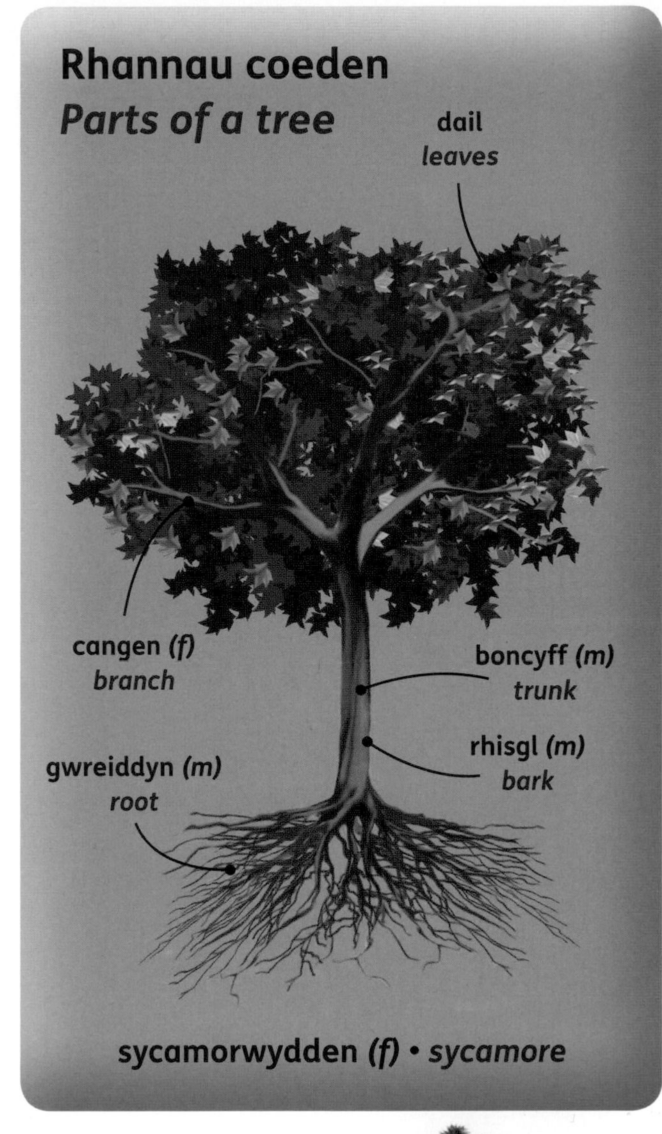

sycamorwydden *(f)* • *sycamore*

coeden ewcalyptws *(f)*
eucalyptus

Pob math o blanhigion • *All sorts of plants*

Mae planhigion yn wyrdd ac mae angen golau arnyn nhw i dyfu. Ceir llawer o wahanol fathau o blanhigion, yn cynnwys planhigion blodeuol, perlysiau, gwahanol fathau o borfa, cacti, rhedyn, a mwsogl.

Plants are green and need light to grow. There are many different types of plant, including flowering plants, herbs, grasses, cacti, ferns, and mosses.

rhosyn *(m)*
rose

cenhinen Bedr *(f)*
daffodil

tiwlip *(m)*
tulip

caru'n ofer *(m)*
pansy

tegeirian *(m)*
orchid

lili *(f)*
lily

blodyn haul *(m)*
sunflower

pabi *(m)*
poppy

lili ddŵr *(f)*
water lily

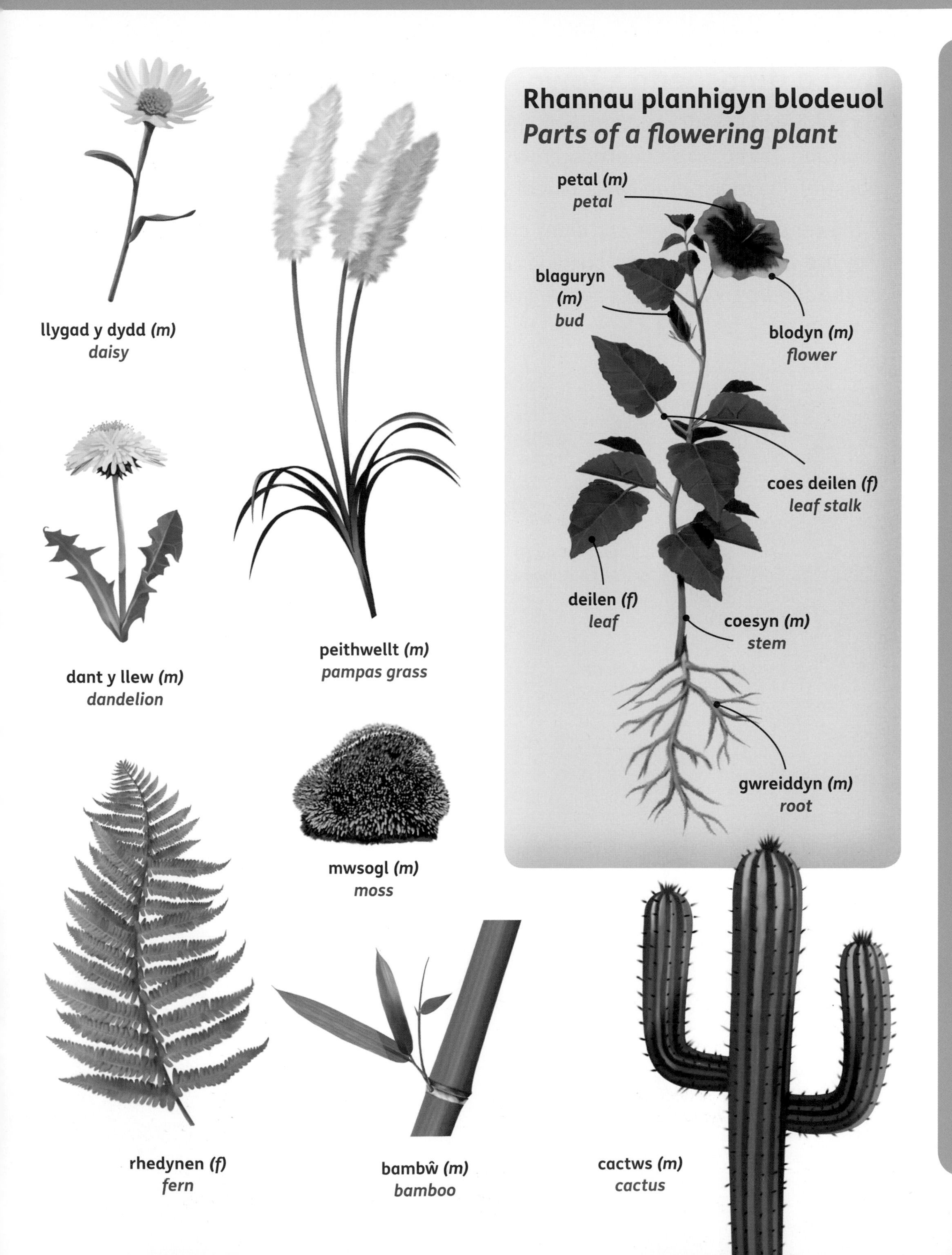
llygad y dydd (m)
daisy
dant y llew (m)
dandelion
peithwellt (m)
pampas grass
Rhannau planhigyn blodeuol
Parts of a flowering plant
petal (m)
petal
blaguryn (m)
bud
blodyn (m)
flower
coes deilen (f)
leaf stalk
deilen (f)
leaf
coesyn (m)
stem
gwreiddyn (m)
root
mwsogl (m)
moss
rhedynen (f)
fern
bambŵ (m)
bamboo
cactws (m)
cactus

Trefi a dinasoedd • *Towns and cities*

Yng nghanol ein trefi a'n dinasoedd mae swyddfeydd, amgueddfeydd, a banciau. Dyma rai o'r adeiladau mwyaf yn y byd. Ar y cyrion mae'r maestrefi, lle mae'r rhan fwyaf o bobl yn byw.

In the centre of our towns and cities are offices, museums, and banks. They are some of the largest buildings in the world. On the outskirts are the suburbs, where most people live.

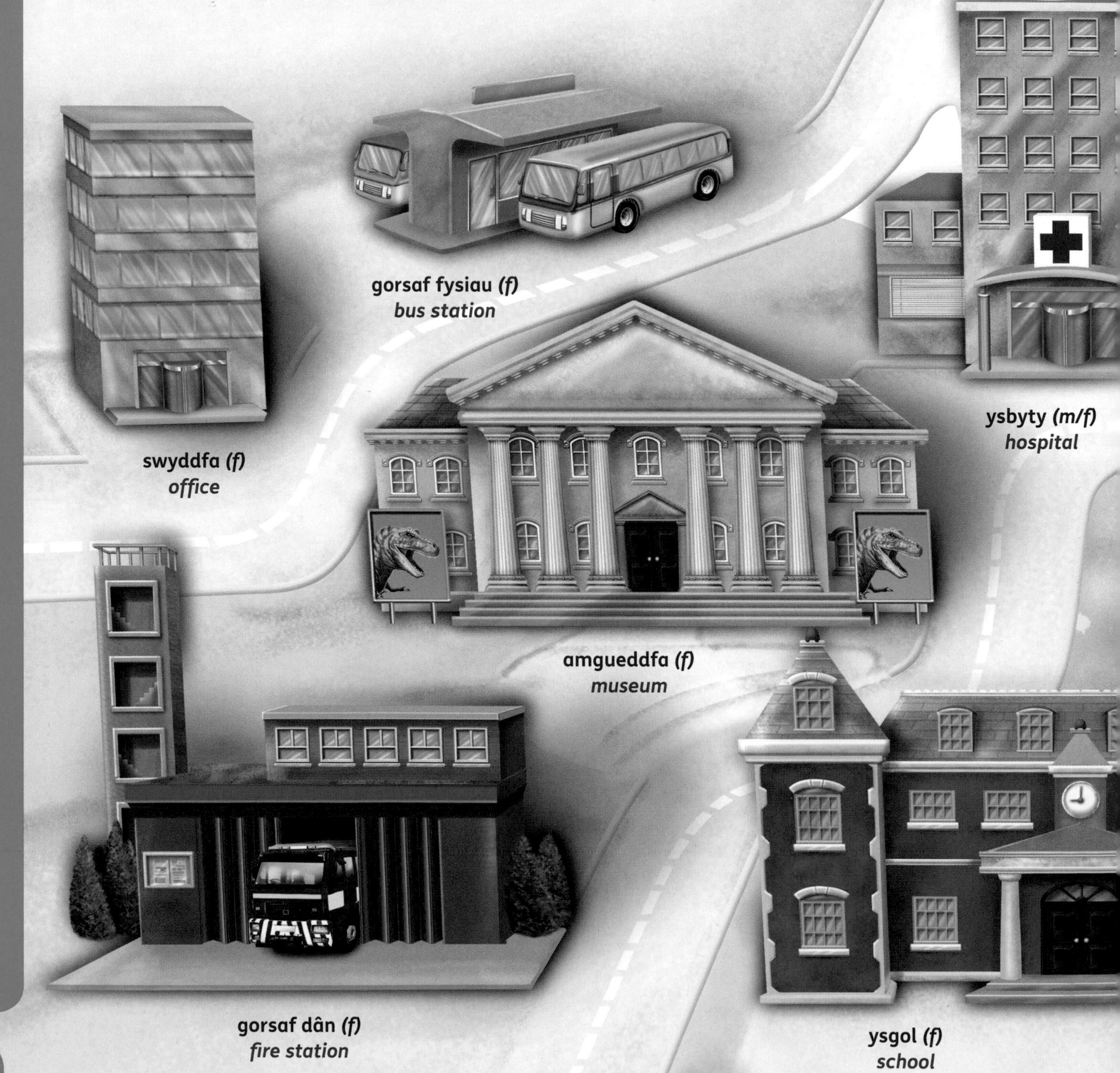

gorsaf fysiau *(f)*
bus station

ysbyty *(m/f)*
hospital

swyddfa *(f)*
office

amgueddfa *(f)*
museum

gorsaf dân *(f)*
fire station

ysgol *(f)*
school

maes parcio (m)
car park
stadiwm (m)
stadium
archfarchnad (f)
supermarket
gwesty (m)
hotel
tŷ bwyta (m)
restaurant
neuadd y dref (f)
city hall
sinema (m/f)
cinema

Ar y stryd • *On the street*

Mae strydoedd dinasoedd yn gallu bod yn fannau bywiog iawn. Maen nhw'n llawn siopau, busnesau a chaffis. Mewn rhai strydoedd, mae'r rhan fwyaf o draffig wedi ei wahardd fel y gall cerddwyr fwynhau siopa a chwrdd â ffrindiau.

City streets can be very lively places. They are full of shops, businesses, and cafes. In some streets, most traffic is banned so the pedestrians can enjoy shopping and meeting friends.

1 **caffi *(m)*** *cafe*

2 **stondin bapurau newydd *(f)*** *news stand*

3 **siop gornel *(f)*** *convenience store*

4 **banc *(m)*** *bank*

5 **swyddfa bost *(f)*** *post office*

6 **blwch post *(m)*** *post box*

7 **safle bysiau *(m)*** *bus stop*

8 **ffordd *(f)*** *road*

9 **pafin *(m)*** *pavement*

10 **golau stryd *(m)*** *street light*

11 **mesurydd parcio *(m)*** *parking meter*

12 **bin sbwriel *(m)*** *litter bin*

13 **siop lysiau *(f)*** *greengrocer*

14 **siop lyfrau *(f)*** *book shop*

Pob math o siopau • *All sorts of shops*

siop deganau *(f)*
toy shop

siop fara *(f)*
baker

siop y cigydd *(f)*
butcher

siop fferyllydd *(f)*
chemist

siop ddillad *(f)*
clothes shop

siop losin *(f)*
sweet shop

siop flodau *(f)*
florist

siop anrhegion *(f)*
gift shop

siop bapur newydd *(f)*
newsagent

siop anifeiliaid anwes *(f)*
pet shop

siop esgidiau *(f)*
shoe shop

Yn y wlad • *In the country*

Dros y byd i gyd, mae pobl yn ffermio'r tir ac yn magu anifeiliaid yng nghefn gwlad. Mae ffermwyr tir âr yn tyfu cnydau. Cadw gwartheg neu eifr ar gyfer eu llaeth y mae ffermwyr llaeth, a chaiff hwnnw weithiau ei droi'n gaws, menyn, neu gynhyrchion llaeth eraill.

All over the world, people farm the land and raise animals in the countryside. Arable farmers grow crops. Dairy farmers keep cows or goats for their milk. Milk is sometimes turned into cheese, butter, or other dairy products.

Cnydau a llysiau • *Crops and vegetables*

cansenni siwgwr • *sugar cane*

ffa soia • *soybeans*

india-corn *(m)* • *maize*

gwenith *(m)* • *wheat*

pwmpenni • *pumpkins*

tatws • *potatoes*

reis *(m)* • *rice*

grawnwin • *grapes*

Cerbydau a pheiriannau fferm • *Farm vehicles and machinery*

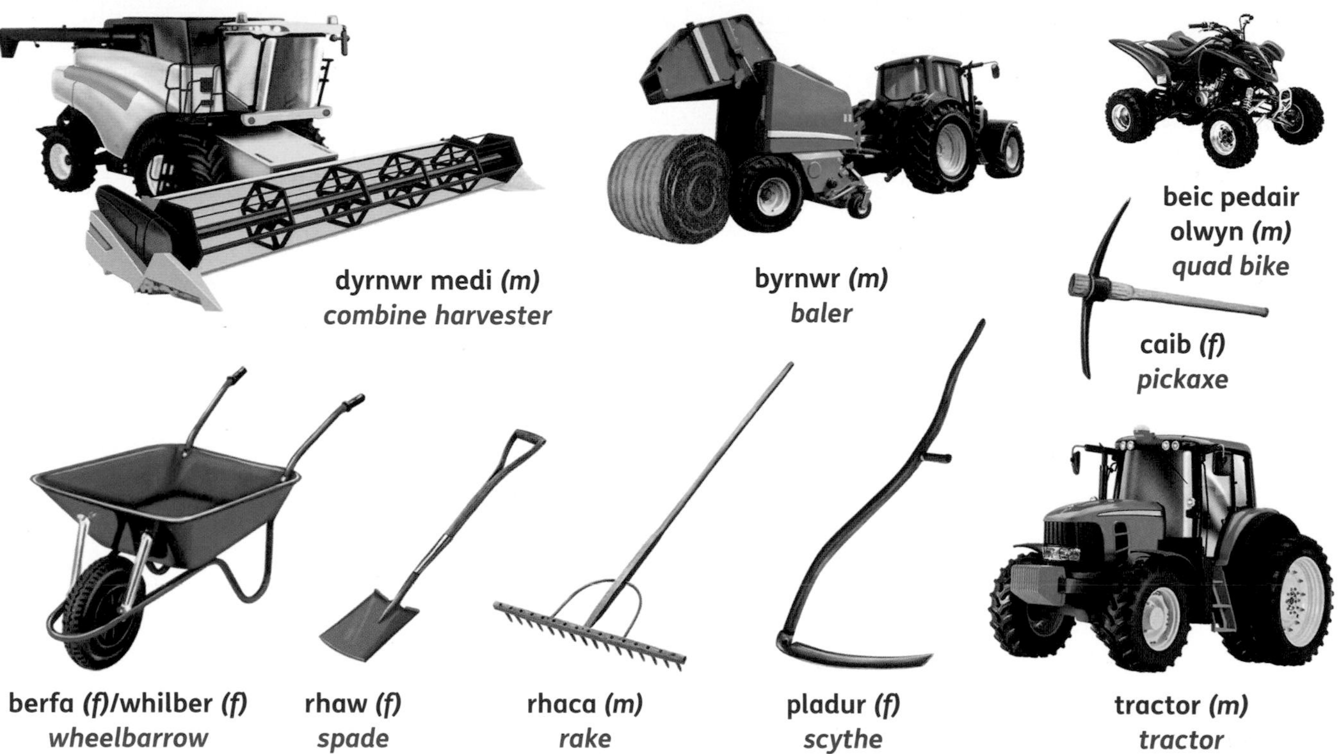

dyrnwr medi ***(m)***
combine harvester

byrnwr ***(m)***
baler

beic pedair olwyn ***(m)***
quad bike

caib ***(f)***
pickaxe

berfa ***(f)*****/whilber** ***(f)***
wheelbarrow

rhaw ***(f)***
spade

rhaca ***(m)***
rake

pladur ***(f)***
scythe

tractor ***(m)***
tractor

Adeiladau fferm • *Farm buildings*

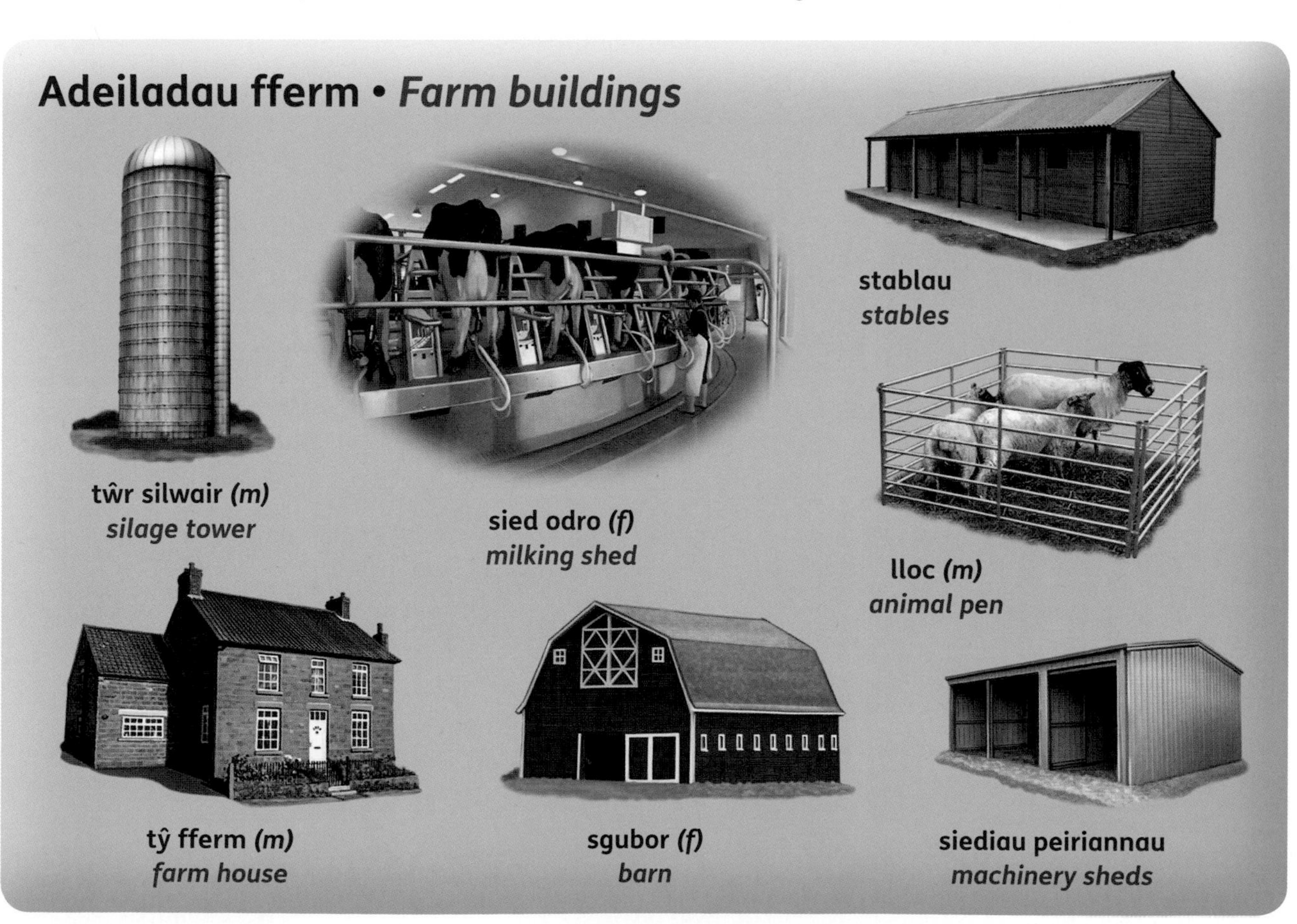

tŵr silwair ***(m)***
silage tower

sied odro ***(f)***
milking shed

stablau
stables

lloc ***(m)***
animal pen

tŷ fferm ***(m)***
farm house

sgubor ***(f)***
barn

siediau peiriannau
machinery sheds

Tirweddau a chynefinoedd • *Landscapes and habitats*

Mae llawer o wahanol fathau o dirwedd ar y Ddaear ac mae pob tirwedd yn cynnig cynefin arbennig i wahanol fathau o fywyd gwyllt. Gall tirweddau amrywio o rew ac eira trwchus o gwmpas Pegwn y Gogledd a Phegwn y De i goedwigoedd glaw stemllyd yn agos at y cyhydedd.

The Earth has many different types of landscape, and each landscape provides a special habitat for a different set of wildlife. Landscapes can range from thick ice and snow around the North and South poles to steamy rainforests close to the equator.

môr *(m)*
ocean

glan y môr
seashore

mynydd *(m)*
mountain

coedwig law *(f)*
rainforest

anialwch *(m)*
desert

glaswelltiroedd
grasslands

rhewlif *(m)*
glacier

coedwig fythwyrdd *(f)*
evergreen forest

coetir *(m)*
woodland

llyn *(m)*
lake

rhanbarth pegynol *(m)*
polar region

cors *(f)*
swamp

rhos *(f)*
moor

Rhannau afon
Stages of a river

Mae afonydd yn rhoi cynefin newidiol i fywyd gwyllt, gan ddechrau â nant fechan sy'n llifo'n gyflym, ac yn gorffen ag afon lydan sy'n symud yn araf.

Rivers provide a changing habitat for wildlife, starting with a tiny, fast-flowing stream, and ending in a broad, slow-moving river.

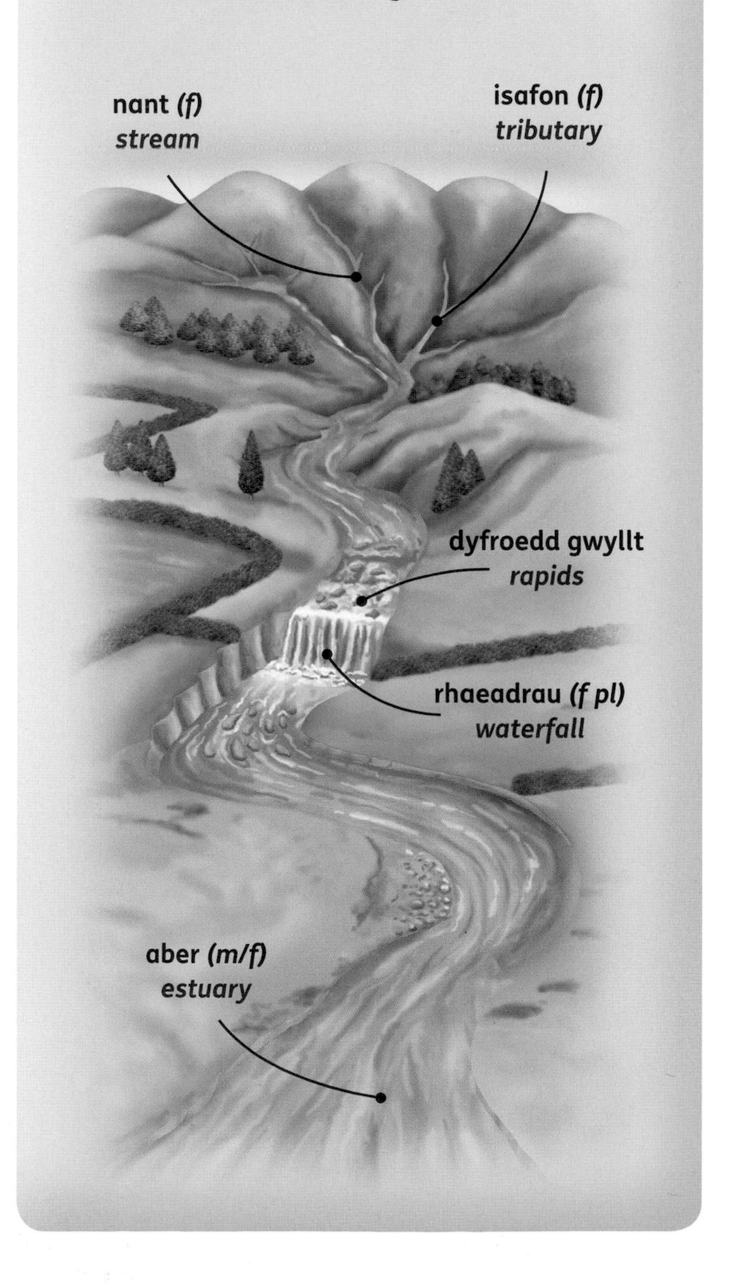

Tywydd • *Weather*

Mewn mannau sy'n agos at y cyhydedd mae'r hinsawdd yn drofannol. Yn y fan honno mae'r tywydd yn boeth a llaith drwy gydol y flwyddyn. Mewn mannau ymhellach i'r gogledd neu'r de, mae'r hinsawdd yn dymherus. Mae'n oer yn y gaeaf, yn glaear yn y gwanwyn a'r hydref, ac yn gynnes yn yr haf.

Places close to the Equator have a tropical climate. The weather there is hot and humid all year round. In places further north and south, the climate is temperate. It is cold in the winter, cool in spring and autumn, and warm in summer.

heulog • ***sunny***

cymylog • ***cloudy***

glawog • ***rainy***

niwlog • ***foggy***

llawn mwrllwch • ***smoggy***

yn eira i gyd • ***snowy***

rhewllyd • *icy*

storm lwch *(f)* • *dust storm*

cawod *(f)* o genllysg/gesair • *hailstorm*

Nodi tymheredd
Temperature words

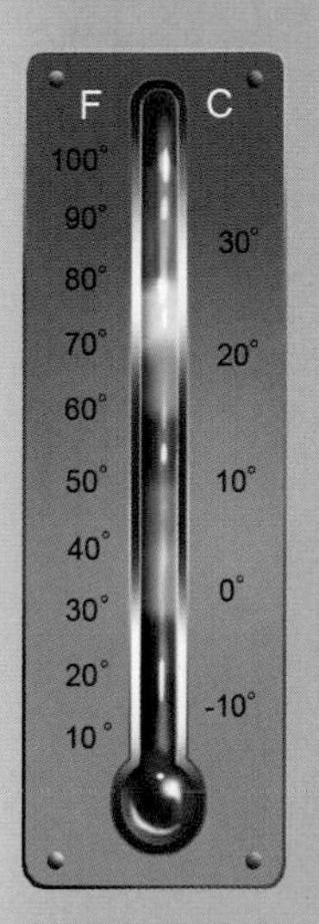

poeth/twym
hot

cynnes
warm

claear
cool

oer
cold

yn rhewi
freezing

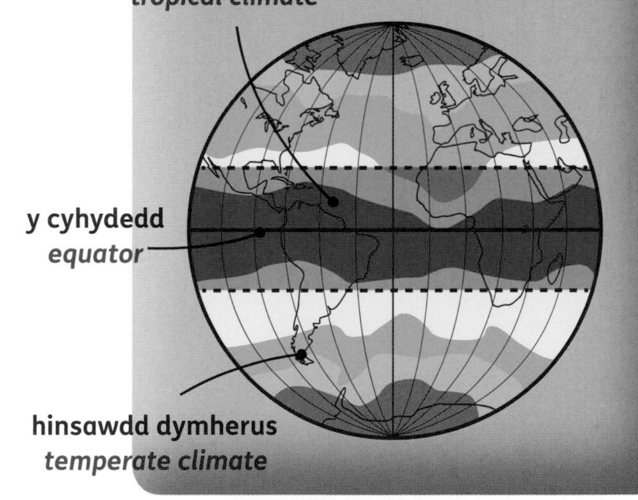

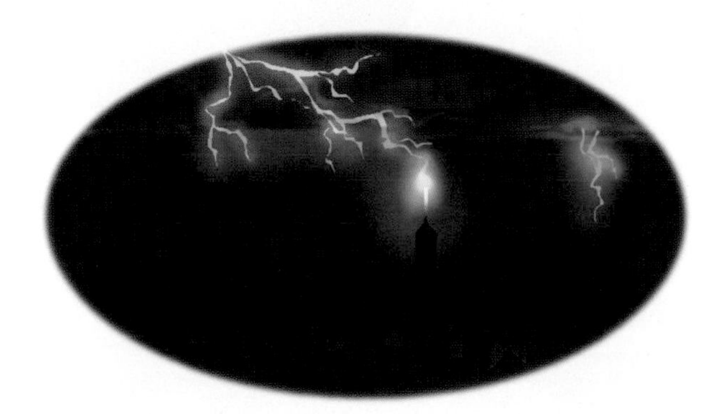

storm *(f)* o fellt a tharanau • *thunderstorm*

trowynt *(m)* • *tornado*

Llygredd a chadwraeth • *Pollution and conservation*

Mae llawer o wahanol fathau o lygredd yn bygwth y Ddaear. Rydyn ni hefyd mewn perygl o ddefnyddio holl ffynonellau ynni'r Ddaear. Os ydyn ni am achub ein planed, mae'n rhaid i ni leihau llygredd ac arbed ynni.

Planet Earth is threatened by many kinds of pollution. We are also in danger of using up the Earth's resources of energy. If we want to save our planet, we must reduce pollution and conserve (save) energy.

Mathau o lygredd
Types of pollution

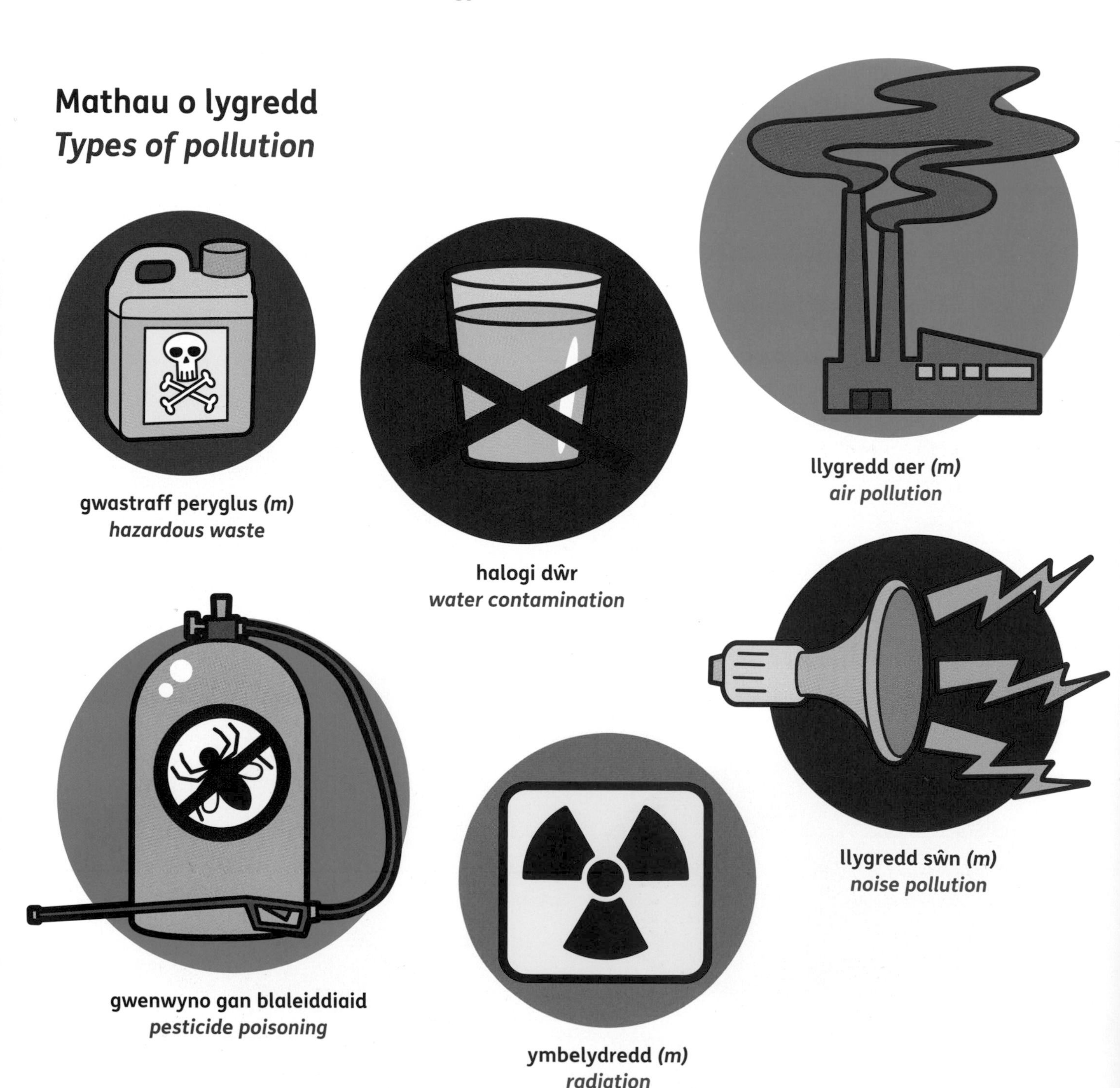

gwastraff peryglus ***(m)***
hazardous waste

halogi dŵr
water contamination

llygredd aer ***(m)***
air pollution

gwenwyno gan blaleiddiaid
pesticide poisoning

ymbelydredd ***(m)***
radiation

llygredd sŵn ***(m)***
noise pollution

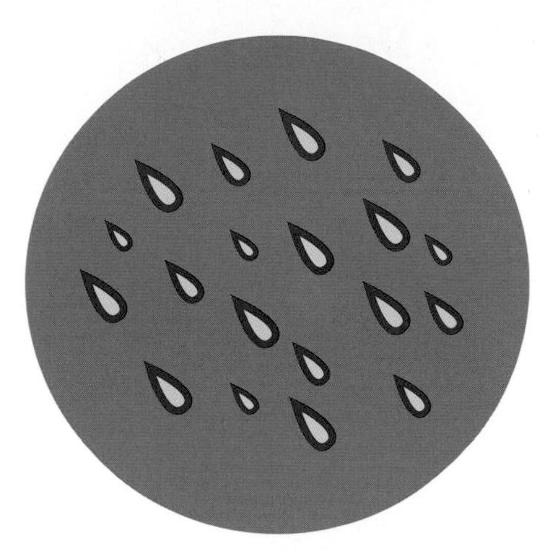

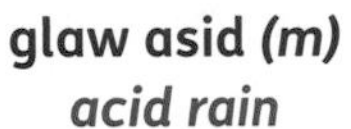

glaw asid *(m)*
acid rain

olew wedi gollwng *(m)*
oil spill

llygredd golau *(m)*
light pollution

Cadwraeth ynni • *Energy conservation*

Gall pobl gymryd nifer o gamau i helpu i arbed ynni a chadw'r blaned yn iach.

People can take a range of steps to help save energy and keep the planet healthy.

compostio *composting*	ailddefnyddio *re-use*	arbed ynni *energy saving*

Y Ddaear
Planet Earth

Mae bodau dynol yn byw ar gramen allanol y Ddaear, ac mae'r gramen hon wedi ei mowldio i wahanol ffurfiau tirweddol. O dan y gramen ceir sawl haen o graig, ac mae rhai ohonyn nhw wedi toddi (yn boeth iawn ac yn hylifol). Mae llosgfynyddoedd yn ffrwydro pan fydd creigiau tawdd, a elwir yn lafa, yn rhwygo drwy gramen y Ddaear.

Humans live on the surface crust of the Earth, and this crust is moulded into different landscape features. Underneath the crust are several layers of rock, and some of them are molten (very hot and liquid). Volcanoes erupt when molten rock, called lava, bursts through the Earth's crust.

Y tu mewn i'r Ddaear
Inside the Earth

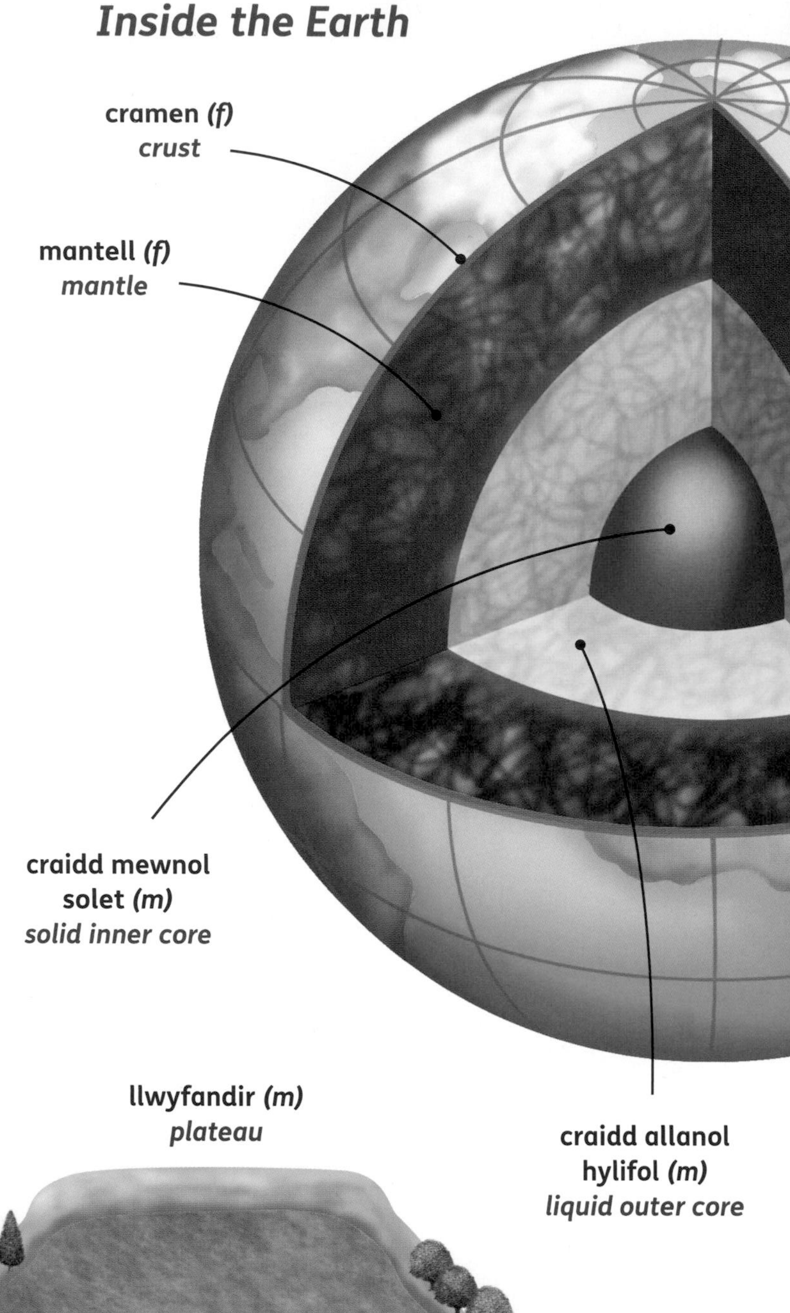

Nodweddion tirwedd
Landscape features

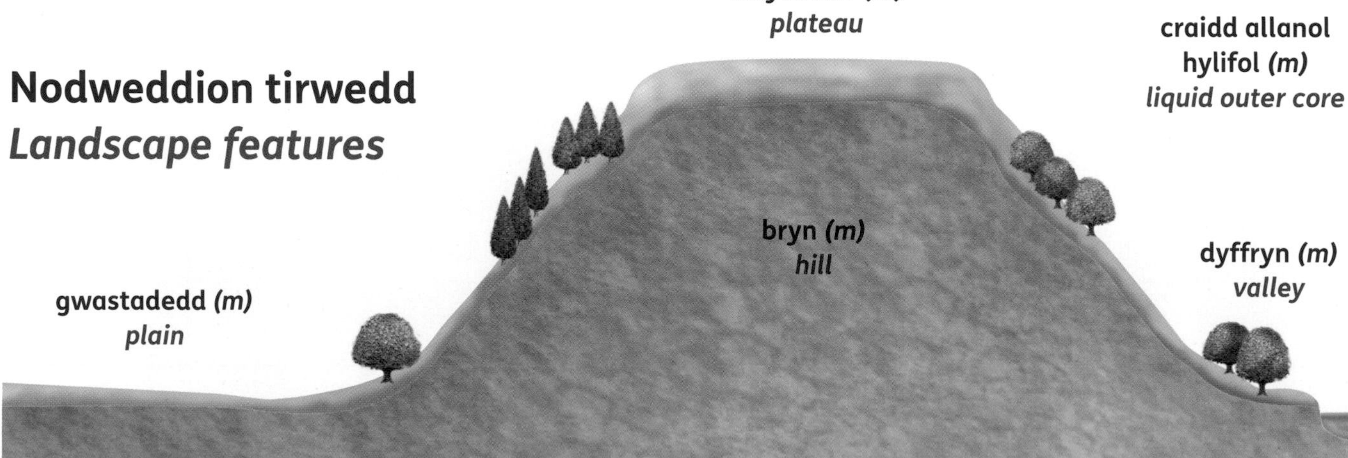

Y tu mewn i losgfynydd
Inside a volcano

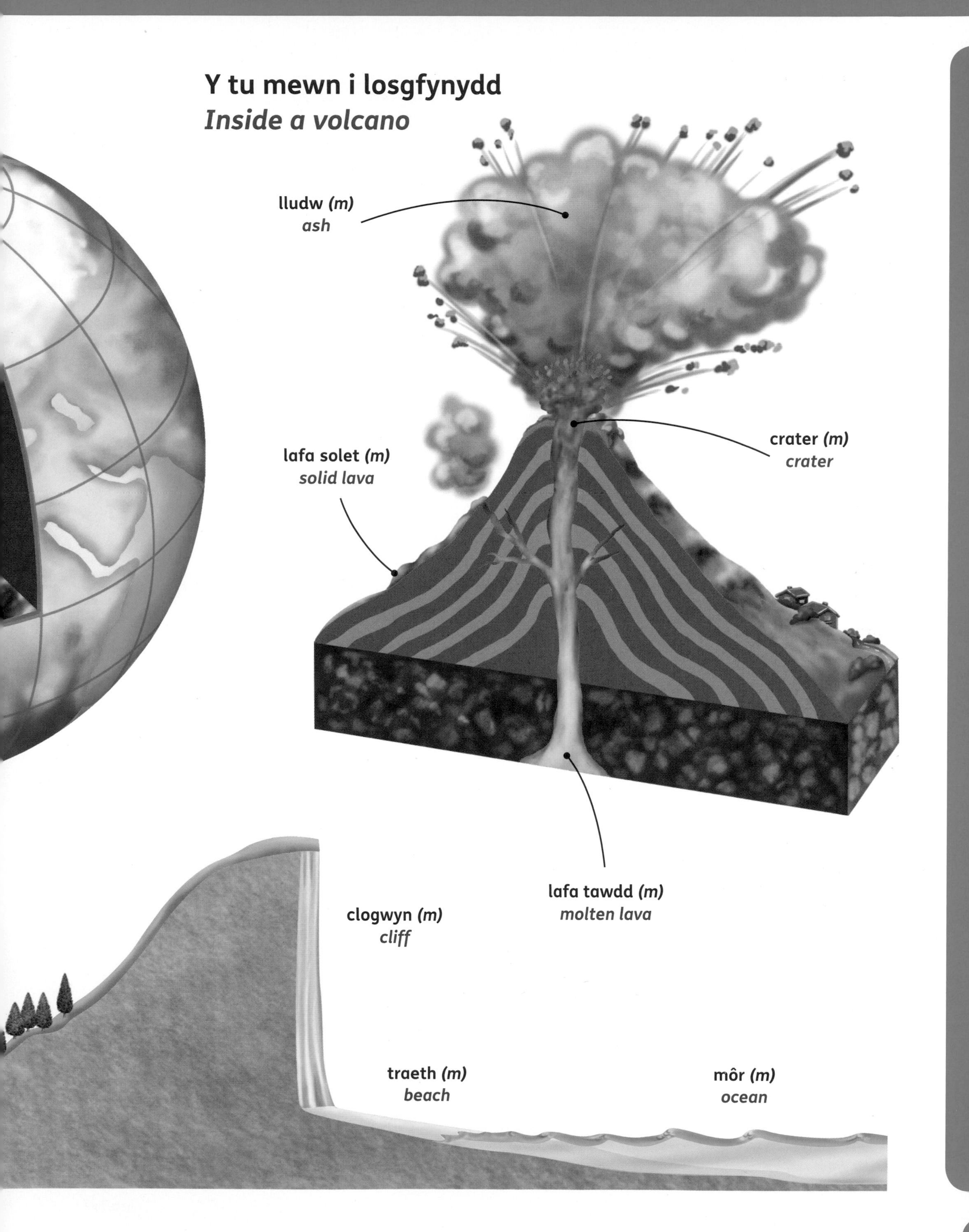

Cysawd yr haul
The solar system

Mae cysawd yr haul yn cynnwys yr Haul a'r planedau sy'n cylchdroi o'i amgylch. Yng nghysawd yr haul, ceir wyth o blanedau a llawer o leuadau. Mae llawer o blanedennau a chomedau hefyd yn cylchdroi o gwmpas yr haul.

Our solar system is made up of the Sun and the planets that orbit it. In our solar system, there are eight planets and many moons. There are also many asteroids and comets that orbit the Sun.

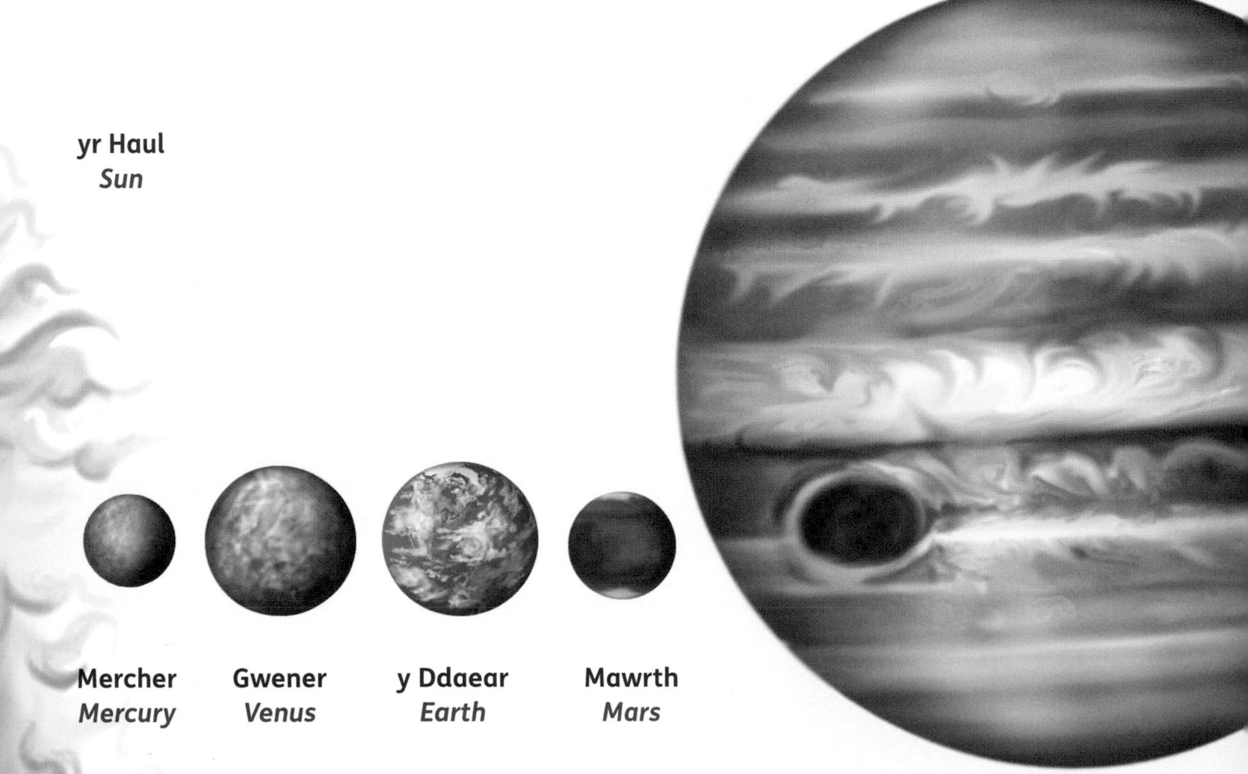

Geirfa'r gofod • *Space words*

Mae pobl yn defnyddio telesgopau i astudio'r awyr yn y nos. Caiff pobl sy'n syllu ar sêr fel rhan o'u gwaith proffesiynol eu galw'n seryddwyr.

People use telescopes to study the sky at night. Professional stargazers are called astronomers.

seren ***(f)*** **•** ***star***
cytser ***(m)*** **•** ***constellation***
lleuad ***(f)*** **•** ***moon***
y Llwybr Llaethog ***(m)*** **•** ***Milky Way***
galaeth ***(f)*** **•** ***galaxy***
meteor ***(m)*** **•** ***meteor***
twll du ***(m)*** **•** ***black hole***

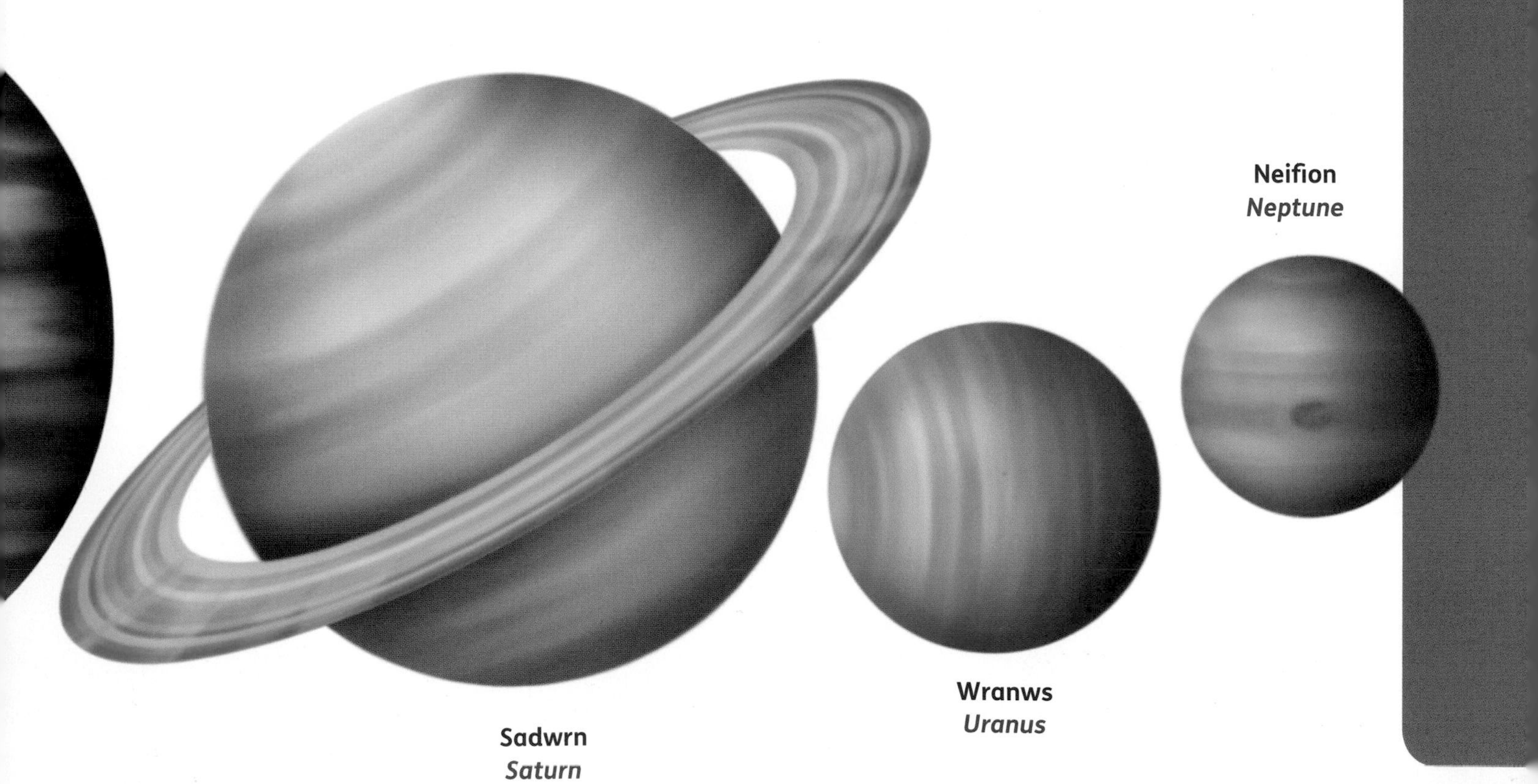

Teithio yn y gofod • *Space travel*

Mae pobl wedi bod yn archwilio'r gofod ers dros hanner can mlynedd. Mae rocedi pwerus yn lansio gwenoliaid gofod a llongau gofod eraill. Gall chwiliedyddion a gorsafoedd gofod wneud gwaith ymchwil, a gall peiriannau glanio archwilio planedau eraill. Mae rhai llongau gofod yn cario gofodwyr, ond caiff llawer eu gweithio gan robotiaid.

Humans have been exploring space for over 50 years. Powerful rockets launch space shuttles and other spacecraft into space. Probes and space stations investigate space, and rovers and landers explore other planets. Some spacecraft carry astronauts, but many are operated by robots.

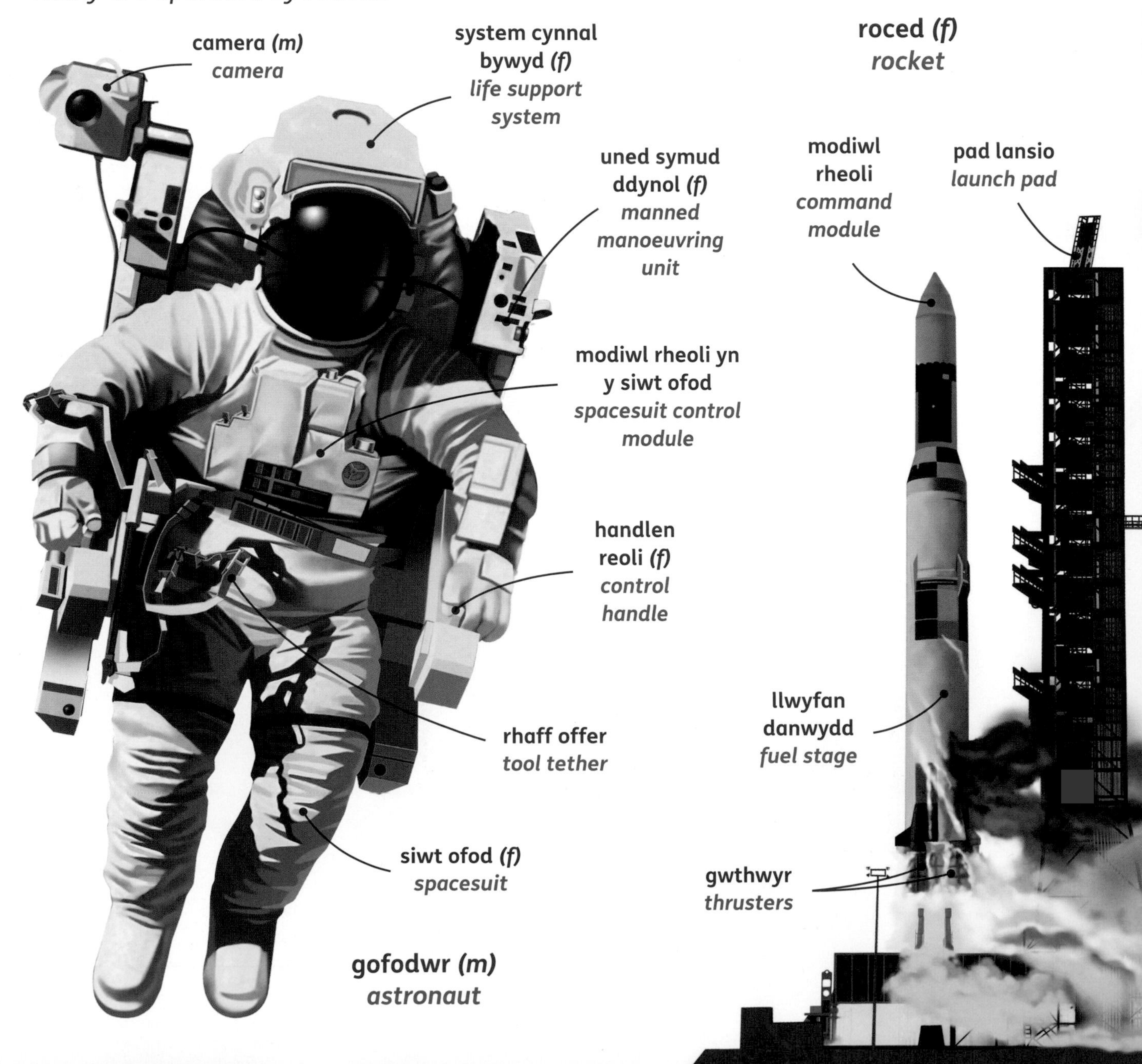

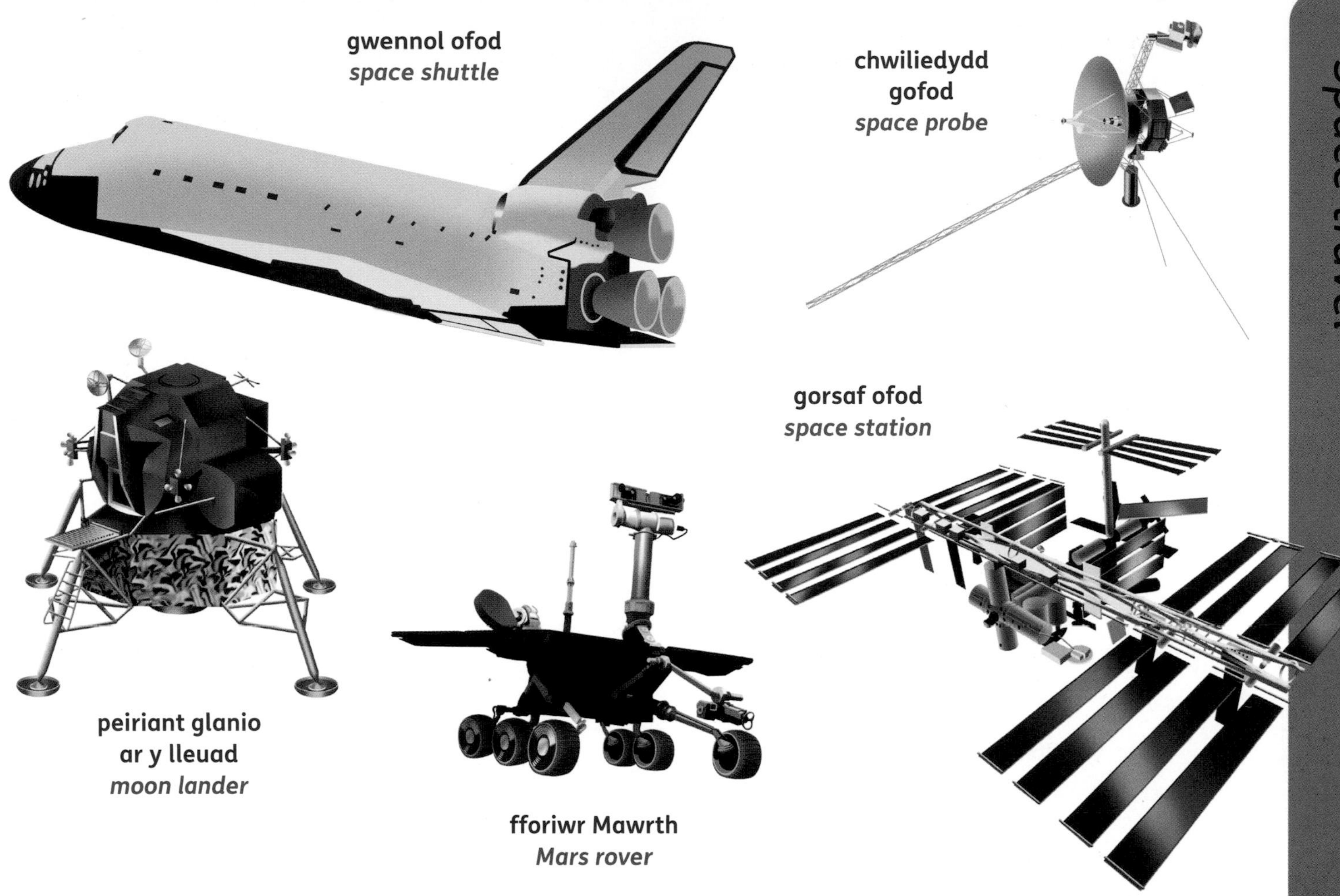

Lloerennau *(f)* • *Satellites*

Mae lloerennau'n cylchdroi o amgylch y ddaear. Maen nhw'n cael eu defnyddio i dynnu ffotograffau, i anfon negesau, ac i olrhain y tywydd.

Satellites orbit the Earth. They are used to take photographs, to transmit messages, and to track the weather.

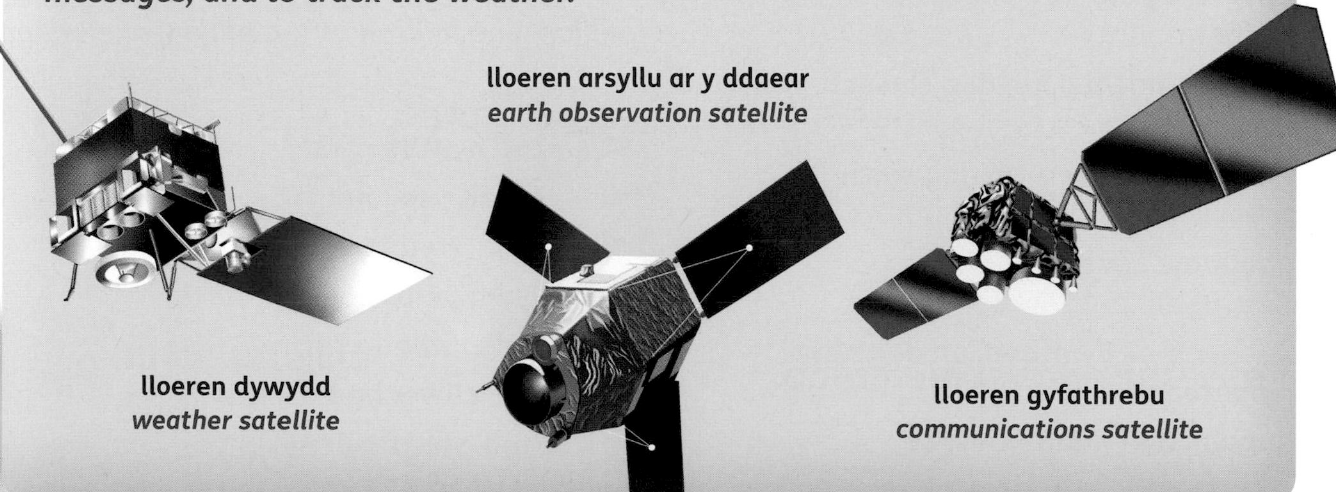

Rhifau • *Numbers*

0 dim • *zero*
1 un • *one*
2 dau *(m)*, dwy *(f)* • *two*
3 tri *(m)*, tair *(f)* • *three*
4 pedwar *(m)*, pedair *(f)* • *four*
5 pump • *five*
6 chwech • *six*
7 saith • *seven*
8 wyth • *eight*
9 naw • *nine*
10 deg • *ten*
11 un ar ddeg, un deg un • *eleven*
12 deuddeg, un deg dau • *twelve*
13 tri ar ddeg, un deg tri • *thirteen*
14 pedwar ar ddeg, un deg pedwar *fourteen*
15 pymtheg, un deg pump *fifteen*
16 un ar bymtheg, un deg chwech *sixteen*
17 dau ar bymtheg, un deg saith *seventeen*
18 deunaw, un deg wyth *eighteen*
19 pedwar ar bymtheg, un deg naw *nineteen*
20 ugain, dau ddeg • *twenty*
21 un ar hugain, dau ddeg un *twenty-one*
22 dau ar hugain, dau ddeg dau *twenty-two*
23 tri ar hugain, dau ddeg tri *twenty-three*
24 pedwar ar hugain, dau ddeg pedwar *twenty-four*
25 pump ar hugain, dau ddeg pump *twenty-five*
30 deg ar hugain, tri deg • *thirty*
40 deugain, pedwar deg • *forty*
50 hanner cant, pum deg • *fifty*
60 trigain, chwe deg • *sixty*
70 deg a thrigain, saith deg • *seventy*
80 pedwar ugain, wyth deg • *eighty*
90 deg a phedwar ugain, naw deg • *ninety*
100 cant • *a hundred, one hundred*
101 cant ac un • *a hundred and one, one hundred and one*

1,000
mil
a thousand, one thousand

10,000
deg mil
ten thousand

1,000,000
miliwn
a million, one million

1,000,000,000
biliwn
a billion, one billion

1st 1af cyntaf • *first*
2nd 2il ail • *second*
3rd 3ydd trydydd • *third*
4th 4ydd pedwerydd • *fourth*
5th 5ed pumed • *fifth*
6th 6ed chweched • *sixth*
7th 7fed seithfed • *seventh*

8th	8fed	wythfed • *eighth*
9th	9fed	nawfed • *ninth*
10th	10fed	degfed • *tenth*
11th	11eg	unfed ar ddeg • *eleventh*
12th	12fed	deuddegfed • *twelfth*
13th	13eg	trydydd ar ddeg • *thirteenth*
14th	14eg	pedwerydd ar ddeg *fourteenth*
15th	15fed	pymthegfed • *fifteenth*
16th	16eg	unfed ar bymtheg • *sixteenth*
17th	17eg	ail ar bymtheg • *seventeenth*
18th	18fed	deunawfed • *eighteenth*
19th	19eg	pedwerydd ar bymtheg *nineteenth*
20th	20fed	ugeinfed • *twentieth*
21st	21ain	unfed ar hugain • *twenty-first*
30th	30ain	degfed ar hugain • *thirtieth*
40th	40fed	deugeinfed • *fortieth*
50th	50fed	hanner canfed • *fiftieth*
60th	60fed	trigeinfed • *sixtieth*
70th	70ain	degfed a thrigain • *seventieth*
80th	80fed	pedwar ugeinfed • *eightieth*
90th	90ain	degfed a phedwar ugain *ninetieth*
100th	100fed	canfed • *one hundredth*
1,000th	1,000fed	milfed • *one thousandth*

Ffracsiynau
Fractions

hanner *(m)* • *half*
traean *(m)* • *third*
chwarter *(m)* • *quarter*
wythfed *(m)* • *eighth*

Mesuriadau
Measurements

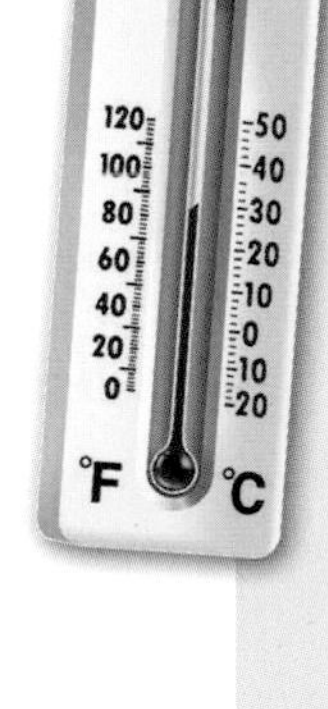

milimetr *(m)* • *millimetre*
centimetr *(m)* • *centimetre*
metr *(m)* • *metre*
cilometr *(m)* • *kilometre*
gram *(m)* • *gram*
cilogram *(m)* • *kilogram*
tunnell *(f)* • *tonne*
mililitr *(m)* • *millilitre*
centilitr *(m)* • *centilitre*
litr *(m)* • *litre*
celsius • *celsius*
canradd • *centigrade*

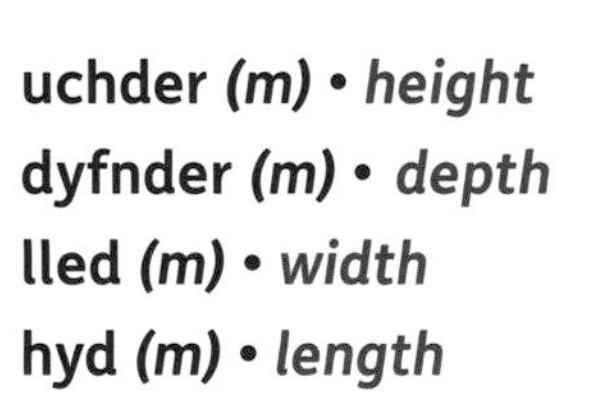

uchder *(m)* • *height*
dyfnder *(m)* • *depth*
lled *(m)* • *width*
hyd *(m)* • *length*

Geirfa mathematheg
Maths words

lluosi • *multiply*
adio • *add*
tynnu • *subtract*
rhannu • *divide*

Dyddiau'r wythnos
Days of the week

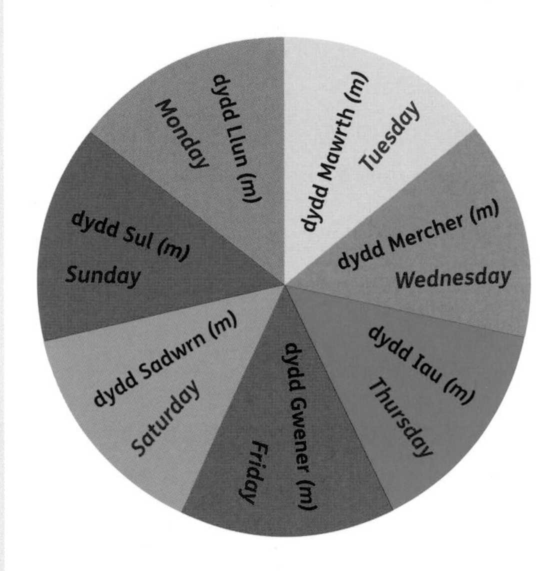

Y misoedd
Months

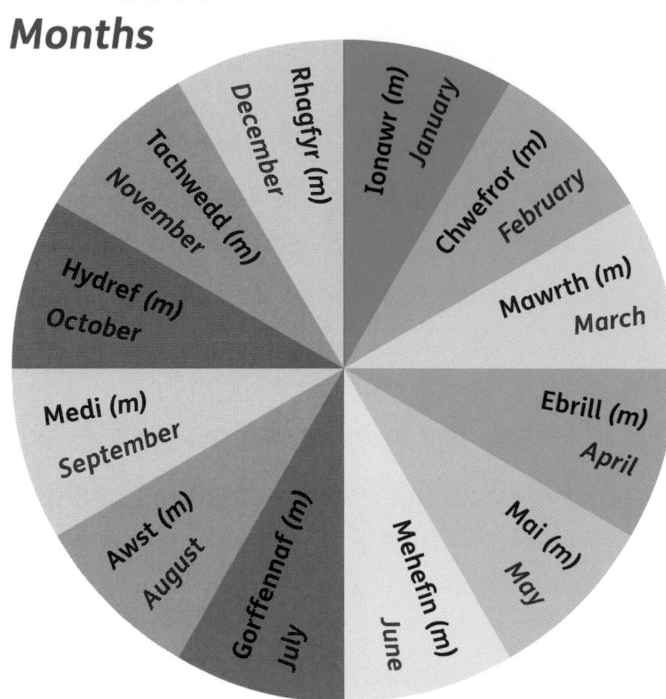

Y tymhorau • *Seasons*

gwanwyn *(m)*
spring

haf *(m)*
summer

hydref *(m)*
autumn

gaeaf *(m)*
winter

Cyfnodau amser • *Time words*

mileniwm *(m)* *millennium*	**canrif** *(f)* *century*	**blwyddyn** *(f)* *year*
mis *(m)* *month*	**wythnos** *(f)* *week*	**diwrnod** *(m)* *day*
awr *(f)* *hour*	**munud** *(f)* *minute*	**eiliad** *(f)* *second*

Rhannau o'r dydd • *Times of day*

y wawr *(f)* *dawn*	**bore** *(m)* *morning*	**canol dydd** *(m)* *midday*	**prynhawn** *(m)* *afternoon*
min nos *(f)* *evening*	**nos** *(f)* *night*	**canol nos** *(f)* *midnight*	

Dweud yr amser • *Telling the time*

naw o'r gloch

nine o'clock

9:05

pum munud wedi naw

five past nine

9:10

deng munud wedi naw

nine ten, ten past nine

9:15

chwarter wedi naw

nine fifteen, quarter past nine

ugain munud wedi naw

nine twenty, twenty past nine

9:25

pum munud ar hugain wedi naw

nine twenty-five, twenty-five past nine

hanner awr wedi naw

nine thirty, half past nine

pum munud ar hugain i ddeg

nine thirty-five, twenty-five to ten

9:40

ugain munud i ddeg

nine forty, twenty to ten

9:45

chwarter i ddeg

nine forty-five, quarter to ten

9:50

deng munud i ddeg

nine fifty, ten to ten

9:55

pum munud i ddeg

nine fifty-five, five to ten

Lliwiau • *Colours*

Siapiau • *Shapes*

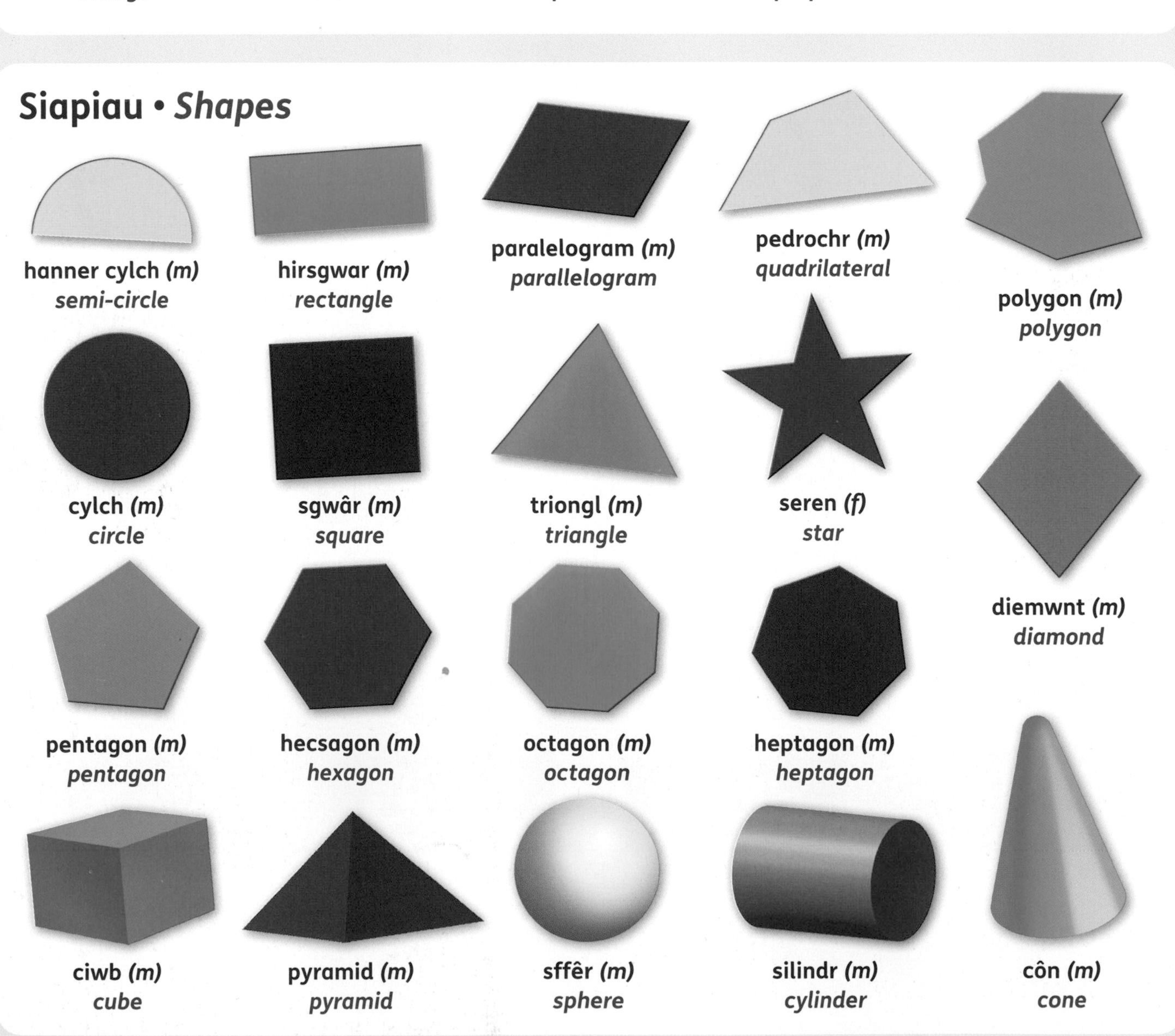

Cyferbyniadau a nodi safle • *Opposites and position words*

Cyferbyniadau
Opposites

mawr – bach
big – small

glân – budr/brwnt
clean – dirty

tew – tenau
fat – thin

llawn – gwag
full – empty

uchel – isel
high – low

poeth/twym – oer
hot – cold

ar agor – ar gau
open – closed

trwm – ysgafn
heavy – light

swnllyd – tawel
loud – quiet

caled – meddal
hard – soft

hir – byr
long – short

golau – tywyll
light – dark

sych – gwlyb
dry – wet

cyflym – araf
fast – slow

Nodi safle
Position words

ymlaen *on*	**i ffwrdd** *off*
dan *under*	**dros** *over*
nesaf at *next to*	**rhwng** *between*
uwchben *above*	**tanodd** *below*
o flaen *in front*	**y tu ôl** *behind*
ymhell *far*	**agos** *near*

Mynegai Cymraeg • *Welsh index*

abdomen *(m)* ... 83
aber *(m/f)* ... 99
actor *(m)* ... 50
actores *(f)* ... 50
adain *(f)* ... 59
adar ... **86**
adeiladau a strwythurau ... **66**
adeiladau fferm ... **97**
adeiladwr *(m)* ... **37**
aderyn du *(m)* ... 86
aderyn ffrigad *(m)* ... 87
aderyn y si *(m)* ... 87
ael *(f)* ... 12
afocados ... 26
afu *(m)* ... 15
ailddefnyddio ... 103
ailgylchu ... 103
aligator *(m)* ... 77
allgofnodi ... 71
ambiwlans *(m)* ... 57
amddiffynnwr *(m)* ... 39
amddiffynwraig *(f)* ... 39
amgueddfa *(f)* ... 92
amlen *(f)* ... 59
amser *(m)* ... **112**
amserlen *(f)* ... 32
amsugnol ... 65
anarferol ac eithriadol ... **73**
angor *(m)* ... 61
anialwch *(m)* ... 98
anifeiliaid gwaith ... **74**
antur a chyffro ... 52
ar y rhyngrwyd ... **70**
ar y stryd ... **94**
aradr eira *(f)* ... 57
arbed ... 39
arbed ynni ... 103
archfarchnad *(f)* ... 93
arddwrn *(m)* ... 13
arennau ... 15
arfwisg *(f)* ... 30
argraffu ... 71
argraffydd *(m)* ... 70
arholiad *(m)* ... 33
arian *(m)* ... 65
armadilo *(m)* ... 85
arogl *(m)* ... **16**
arswyd ... 52
arth wen *(f)* ... 72
asennau ... 14
asgell *(f)* ... 79
asgell ôl *(f)* ... 59
asgell y gynffon *(f)* ... 79
asgwrn cefn *(m)* ... 14
asgwrn y fron *(m)* ... 14
asyn *(m)* ... 75
athletau ... 38
athrawes *(f)* ... 35
athro *(m)* ... 35
atodiad *(m)* ... 70
aur *(m)* ... 65
awyren ddwbl *(f)* ... 58
awyren feicro *(f)* ... 59
awyren fôr *(f)* ... 58
awyrennau ... **58**
balch ... 17
balconi *(m)* ... 67
bale ... 49
balŵn aer poeth *(m)* ... 59
bambŵ *(m)* ... 91
bananas ... 27
banc *(m)* ... 94
band gwallt *(m)* ... 28
bar *(m)* ... 69
bar rheoli *(m)* ... 58
bara *(m)* ... 23
barcut *(m)* ... 42, 58
bas dwbl *(m)* ... 47
basged *(f)* ... 59
bat *(m)* ... 42
bath *(m)* ... 19
batri *(m)* ... 63
beic *(m)* ... 55
beic modur *(m)* ... 54
beic pedair olwyn *(m)* ... 97
beiro *(m)* ... 33
berdysen mantys *(f)* ... 80
berfa *(f)* ... 97
bin sbwriel *(m)* ... 94
bioynni *(m)* ... 62
blaguryn *(m)* ... 91
blaidd llwyd *(m)* ... 84
blas *(m)* ... **16**
blin ... 17
blodyn *(m)* ... 91
blodyn haul *(m)* ... 90
blog *(m)* ... 70
blows *(f)* ... 31
blwch post *(m)* ... 94
bochau ... 12
bochdew *(m)* ... 75
boncyff *(m)* ... 89
bonet *(m)* ... 54
botasau ... 29
bowlio ... 40
braich *(f)* ... 13
braslun *(m)* ... 44
brawd *(m)* ... 10
brechdan *(f)* ... 24
breg-ddawnsio ... 49
brenhines ganoloesol *(f)* ... 30
brest *(f)* ... 13
brithyll *(m)* ... 79
broga saeth wenwynig *(m)* ... 77
brws dannedd *(m)* ... 21
brwsh paent *(m)* ... 45
bryn *(m)* ... 104
buwch *(f)* ... 75
buwch goch gota *(f)* ... 83
bwa *(m)* ... 47
bwlb *(m)* ... 63
bwrdd *(m)* ... 19
bwrdd gwyddbwyll *(m)* ... 42
bwrdd gwyn *(m)* ... 33
bwrdd sgrialu *(m)* ... 42
bwrdd y llong ... 61
bwrw ... 40
bŵt *(m)* ... 54
bwthyn *(m)* ... 18
bwyd a diod ... **22**
bwydydd rhyfedd ac ofnadwy ... **25**
bwyell *(f)* ... 37
byji *(m)* ... 75
bympar *(m)* ... 54
byrbrydau ... **24**
byrgyr *(m)* ... 24
byrnwr *(m)* ... 97
bysedd ... 13
bysedd traed ... 13
bysellfwrdd *(m)* ... 70
bywyd llonydd *(m)* ... 44
caban gwyliau *(m)* ... 18
caban peilot *(m)* ... 59
cabetsien *(f)* ... 27
cactws *(m)* ... 91
cadair *(f)* ... 19
cadno *(m)* ... 85
cadw ... 71
cadwraeth ynni ... **103**
caffi *(m)* ... 94
cangarŵ *(m)* ... 73
cangen *(f)* ... 89
caib *(f)* ... 97
caled ... 65
calendr ac amser ... **112**
calon *(f)* ... 15
camel *(m)* ... 72
cameleon *(m)* ... 76
camera *(m)* ... 50, 108
camera digidol *(m)* ... 71
cansenni siwgwr ... 96
cantores *(f)* ... 50
canu'r enaid ... 49
canŵ *(m)* ... 61
canwr *(m)* ... 50
cap *(m)* ... 28, 36
car cebl *(m)* ... 55
car eira *(m)* ... 57
car heddlu *(m)* ... 57
car ystâd *(m)* ... 54
cardigan *(f)* ... 28
carp koi *(m)* ... 79
carreg *(f)* ... 65
carreg Bedr *(f)* ... 80
cartrefi ... **18**
cartrefi o gwmpas y byd ... **18**
cartŵn ... 53
caru'n ofer *(m)* ... 90
carw *(m)* ... 73
cas ... 16
castanwydden *(f)* ... 88
castell *(m)* ... 66
catamarán *(f)* ... 61
cath *(f)* ... 75
cawl *(m)* ... 24
cawl danadl poethion ... 25
cawod *(f)* ... 19
cawod *(f)* o genllysg/gesair ... 101
caws *(m)* ... 23
cebl crograff ... 67
cefn *(m)* ... 13
cefndryd ... 11
ceg *(f)* ... 12
cegin *(f)* ... 19
ceffyl *(m)* ... 74
ceiliog *(m)* ... 75
ceirch ... 23
ceirios ... 27
Celfyddyd ... 33
celfyddyd ... **44**
celynnen *(f)* ... 89
cen *(m sing)* ... 79
cenhinen Bedr *(f)* ... 90
cerbyd chwaraeon pob pwrpas *(m)* ... 55
cerbyd gwersylla *(m)* ... 54
cerbyd nwyddau trwm *(m)* ... 57
cerbyd tir a môr *(m)* ... 57
cerbydau gwaith ... **56**
cerbydau teithwyr ... **54**
Cerddoriaeth ... 33
cerddoriaeth a dawns ... **48**
cerddoriaeth ethnig ... 49
cerfiadau ... 66
cerflun *(m)* ... 45

Mynegai Cymraeg • *Welsh index*

ci achub mynydd *(m)* ... 75
ci defaid *(m)* ... 74
cic gosb *(f)* ... 39
cic rydd *(f)* ... 39
cicio ... 40
cig *(m)* ... 23
cig oen *(m)* ... 24
cilt *(m)* ... 31
cimono *(m)* ... 30
cimwch *(m)* ... 80
cist *(f)* ... 54
ciwcymbr *(m)* ... 27
claear ... 101
clai modelu *(m)* ... 45
clarinét *(m)* ... 46
clasurol ... 48
clawr tagell *(m)* ... 79
cleddbysgodyn *(m)* ... 78
clepiwr *(m)* ... 50
cleren *(f)* ... 82
clicio ... 71
cloc *(m)* ... 32
clocsiau ... 31
clocsiau rwber ... 36
clogwyn *(m)* ... 105
clun *(f)* ... 14
clust *(f)* ... 12
clustffonau ... 42
clyw *(m)* ... **16**
cnawd *(m)* ... 27
cnocell y coed *(f)* ... 86
Cnydau a llysiau ... 96
cobra Eifftaidd *(f)* ... 77
coed a phrysgwydd ... 88
coeden afalau *(f)* ... 89
coeden ewcalyptws *(f)* ... 89
coeden faobab *(f)* ... 88
coeden geirios *(f)* ... 89
coeden goch *(f)* ... 88
coeden lemon *(f)* ... 89
coedwig fythwyrdd *(f)* ... 98
coedwig law *(f)* ... 98
coes *(f)* ... 13, 27
coes deilen *(f)* ... 91
coesau brogaid ... 25
coesyn *(m)* ... 91
coetir *(m)* ... 98
coets *(f)* ... 55
coffi *(m)* ... 22
colofn *(f)* ... 67
coluddyn *(m)* ... 15
colyn *(m)* ... 69, 82
comedi ... 52
compostio ... 103
consol gemau *(m)* ... 42
copr *(m)* ... 65
copyn môr *(m)* ... 80
corff (m) ... 13
corff yr awyren ... 58
corn mwg ... 61
cornylfin helmog *(m)* ... 87
coron *(f)* ... 30
corryn môr *(m)* ... 80
cors *(f)* ... 99
corynnod blewog wedi'u ffrio 25
cot *(f)* ... 29
côt *(f)* ... 29
cotwm *(m)* ... 64
craen ... 56
craen â basged ... 56
craidd allanol hylifol *(m)* ... 104
craidd mewnol solet *(m)* ... 104
cramen *(f)* ... 104
cranc ymfudol *(m)* ... 85
crater *(m)* ... 105
creaduriaid y môr ... 80
creaduriaid y nos ... 84
creision ... 23
crempog ... 25
crëyr *(m)* ... 86
criced *(m)* ... 39
crimog *(f)* ... 14
crocodeil *(m)* ... 77
croen *(m)* ... 27
croeslath *(f)* ... 59
cromen *(f)* ... 67
crwban *(m)* ... 76
crwban y môr *(m)* ... 76, 80
crys *(m)* ... 28
crys chwys *(m)* ... 28
crys T *(m)* ... 29
cwch hwylio *(m)* ... 61
cwch modur *(m)* ... 60
cwch pleser *(m)* ... 60
cwch rhwyfo *(m)* ... 61
cwpwrdd ystafell ymolchi *(m)* 21
cwyr *(m)* ... 64
cyfarwyddwr *(m)* ... 50
cyfarwyddwraig *(f)* ... 50
cyferbyniadau ... 115
cyfreithiwr *(m)* ... 35
cyfreithwraig *(f)* ... 35
cyfrifiadur *(m)* ... 70
cyfrifiaduron a dyfeisiau electronig ... 70
cyfrifiannell *(f)* ... 33
cyffyrddiad (m) ... 16
cyhyr *(m)* ... 14
cylchgrawn *(m)* ... 42
cyllell *(f)* ... 20
cyllell llawfeddyg *(f)* ... 36
cymylog ... 100
cynhyrchydd *(m)* ... 50
cynnes ... 101
cynulleidfa *(f)* ... 50
cyrri *(m)* ... 24
cysawd yr haul ... 106
cysgod llygaid *(m)* ... 37
cysylltu ... 70, 71
cytser *(m)* ... 107
cyw iâr *(m)* ... 24
chwaer *(f)* ... 10
chwannen *(f)* ... 83
chwaraeon ... 38
chwaraeon a hamdden ... 42
chwaraeon yn fyw ... 40
chwaraewr cerddoriaeth *(m)* .. 42
chwaraewr MP3 *(m)* ... 71
chwerwddwr y môr *(m)* ... 80
chwilen ddu *(f)* ... 83
chwiliedydd gofod ... 109
chwilio ... 70
chwyddwiber *(f)* ... 77
da-da ... 23
dadlwythwr *(m)* ... 56
Daearyddiaeth ... 33
dafad *(f)* ... 74
dail ... 89
dal ... 41
dannedd ... 12
dant y llew *(m)* ... 91
darllenydd electronig *(m)* ... 71
darnau gwyddbwyll ... 42
dawns ... 49
dawnsio neuadd ... 49
dawnsio tap ... 49
dawnsiwr *(m)* ... 50
dawnswraig *(f)* ... 50
dec *(m)* ... 67
deifio ... 40
deifiwr (m) ... 36
deilen *(f)* ... 91
derwen *(f)* ... 88
desg *(f)* ... 33
deunyddiau'r artist ... 45
dhow *(m)* ... 61
diagram cylched (m) ... 63
di-draidd ... 65
diddos ... 65
dig ... 17
dileu ... 71
dilewyrch ... 65
dillad pob dydd ... 28
diod ffisiog *(f)* ... 22
diodydd ... 22
diogyn *(m)* ... 73
direidus ... 17
disgyrchiant *(m)* ... 68
dolffin *(m)* ... 80
draenog *(m)* ... 84
draig Comodo *(f)* ... 76
drewgi *(m)* ... 84
dril trydan *(m)* ... 37
drws *(m)* ... 19
drych ochr *(m)* ... 54
drymiau ... 47
dur *(m)* ... 65
DVD *(m)* ... 42
dweud yr amser ... 113
dŵr *(m)* ... 22
dy gorff ... 12
dyddiau'r wythnos ... 112
dyfarnwr *(m)* ... 39
dyfarnwraig *(f)* ... 39
dyfroedd gwyllt ... 99
dyffryn *(m)* ... 104
dyrnwr medi *(m)* ... 97
dysgl lloeren *(f)* ... 66
e-bost *(m)* ... 70
echel *(f)* ... 69
efydd *(m)* ... 65
eglwys *(f)* ... 67
eirin gwlanog ... 26
eli *(m)* ... 21
eliffant *(m)* ... 72
eog *(m)* ... 79
eryr *(m)* ... 87
esgidiau ... 28
esgidiau gwrth-dân ... 37
esgidiau pêl-droed ... 29
esgidiau ymarfer ... 28
estrys *(m)* ... 87
ewythr *(m)* ... 11
fan ddosbarthu *(f)* ... 57
fêl *(f)* ... 31
fwltur *(m)* ... 87
ffa gwyrdd ... 27
ffa soia ... 96
ffacbys ... 23
ffawydden *(f)* ... 88
ffedog *(f)* ... 31
ffeil *(f)* ... 33
ffenest *(f)* ... 19, 67
ffenest flaen *(f)* ... 54
ffêr *(f)* ... 13
fferi *(f)* ... 60

ffidil *(f)* 47
ffigys 26
ffinydwydden *(f)* 88
ffisig *(m)* 21
fflamingo *(m)* 87
fflipyr *(m)* 36
ffliwt *(f)* 46
fflôt *(f)* 58
ffon gof *(f)* 71
ffôn symudol *(m)* 71
fforc *(f)* 20
ffordd *(f)* 94
fforiwr Mawrth 109
fformatio 71
ffotograff *(m)* 44
ffowlyn *(m)* 24
ffracsiynau 111
ffrind gorau *(m)* 11
ffrindiau 11
ffrithiant *(m)* 68
ffrog *(f)* 28
ffrog briodas *(f)* 31
ffrois 25
ffrwythau 23
ffrwythau a llysiau 26
ffuglen wyddonias a ffantasi 52
ffwlcrwm *(m)* 69
ffwrn *(f)* 19
gafr *(f)* 74
galaeth *(f)* 107
garej *(f)* 19
garw 65
gateau *(m)* 25
Geirfa mathematheg 111
Geirfa'r gofod 107
gel cawod *(m)* 21
gellyg 27
gêm fwrdd *(f)* 42
gên *(f)* 12
gitâr *(f)* 47
glan y môr 98
glas y dorlan *(m)* 86
glaswelltiroedd 98
glaw asid *(m)* 103
glawog 100
gleider *(f)* 59
gliniadur *(m)* 71
glo *(m)* 63
glôb *(m)* 33
glöyn byw *(m)* 83
gludo 71
gofodwr *(m)* 108
gogr *(m)* 20
gohebydd *(m)* 35
gôl *(f)* 39
golau cylch *(m)* 50
golau stryd *(m)* 94
gôl-geidwad *(m)* 39
golff *(m)* 39
golwg *(m)* 16
golygu 71
gorila *(m)* 73
gorsaf dân *(f)* 92
gorsaf fysiau *(f)* 92
gorsaf ofod 109
gosail lanio *(f)* 58
graffiti *(m)* 45
gratiwr *(m)* 20
grawnwin 96
grymoedd a pheiriannau 68
grymoedd ar waith 68
gwahadden sêr-drwynog *(f)* ... 73
gwaith cartref *(m)* 33
gwaith cwrs *(m)* 33
gwallt *(m)* 12
gwas y neidr *(m)* 83
gwasgod *(f)* 31
gwastadedd *(m)* 104
gwastraff peryglus *(m)* 102
gwdihŵ *(m)* 85
gwddf *(m)* 13
gweill bwyd *(f)* 20
gweithrediadau cyfrifiadurol 71
gwely *(m)* 19
Gwener 106
gwenith *(m)* 96
gwennol *(f)* 42, 86
gwennol ofod 109
gwenwyno gan blaleiddiaid .. 102
gwenynen *(f)* 82
gwenynen feirch *(f)* 82
gwerin 48
gwersi 33
gwerslyfr *(m)* 33
gwesty *(m)* 93
gwifren *(f)* 63
gwirio sillafu 71
gwirion 17
gwisg *(f)* 50
gwisg llawfeddyg *(f)* 36
gwiwer *(f)* 73
gwiwer resog *(f)* 73
gwlân *(m)* 64
gwlân cotwm *(m)* 21
gwlithen fawr *(f)* 84
gwlyb 16
gwneud copi wrth gefn 71
gwregys offer *(f)* 37
gwregys pwysau *(f)* 36
gwreiddyn *(m)* 89, 91
gwthio 68
gwthwyr 108
gwydr *(m)* 64
gwydr lliw *(m)* 45
gŵydd *(f)* 75
Gwyddoniaeth 33
gwyfyn *(m)* 82
gwyfyn lloerennog *(m)* 84
gwyntyll *(f)* 30
gymnasteg *(f)* 38
gyrrwr bws *(m)* 34
gyrwraig bws *(f)* 34
hadau 27
haearn *(m)* 65
halogi dŵr 102
hallt 16
handlen *(f)* 69
handlen reoli *(f)* 108
Hanes 33
hapus 17
hat *(f)* 29
helmed *(f)* 30, 37
hen dad-cu *(m)* 10
hen daid *(m)* 10
hen fam-gu *(f)* 10
hen nain *(f)* 10
het *(f)* 29
het galed *(f)* 37
het silc *(f)* 31
heulog 100
hinsawdd drofannol 101
hinsawdd dymherus 101
hipopotamws *(m)* 72
hoci iâ *(m)* 39
hofrennydd *(m)* 58
hufen iâ *(m)* 25
hwyaden *(f)* 75
hwyatbig *(m)* 73
hwyl *(f)* 58, 60
hwylfwrdd *(m)* 60
hydroffoil *(m)* 60
hynod ac anhygoel 87
iâr *(f)* 75
iâr fach yr haf *(f)* 83
Iau 106
iau *(m)* 15
iglw *(m)* 18
igwana *(m)* 76
in y gegin 20
india-corn *(m)* 27, 96
injan dân *(f)* 57
iogwrt *(m)* 23
io-io *(m)* 42
isafon *(f)* 99
isopod enfawr *(m)* 80
jac codi baw *(m)* 56
jac y baglau *(m)* 82
jazz 48
jîns 28
jiráff *(m)* 72
jiwdo *(m)* 39
jymbo-jet *(f)* 59
lafa solet *(m)* 105
lafa tawdd *(m)* 105
lafant *(m)* 89
lama *(m)* 73
lawrlwytho 70
legins 28
lemonau 26
lemwr *(m)* 84
lifer *(m)* 69
lifft sgio *(f)* 55
lili *(f)* 90
lili ddŵr *(f)* 90
lindysyn *(m)* 83
lorri gario ceir *(f)* 57
lorri gymysgu sment *(f)* 57
lorri sgip *(f)* 57
losin 23
llachar 16
llaeth *(m)* 22
llafn gwthio *(m)* 58
llafn rotor *(m)* 58
llafnau rholio 42
llaw *(f)* 13
llawfeddyg *(m)* 36
llawn mwrllwch 100
llechen *(f)* 71
lleden *(f)* 79
lledr *(m)* 64
llenni 50
lletwad *(f)* 20
lleuad *(f)* 107
llew *(m)* 73
llewpart *(m)* 72
llewpart hela *(m)* 73
llif *(f)* 37
lliwgar 16
lliwiau 114
lloc *(m)* 97
lloeren arsyllu ar y ddaear ... 109
lloeren dywydd 109
lloeren gyfathrebu 109
lloerennau 109

Mynegai Cymraeg • *Welsh index*

llong hofran *(f)* ... 61
llongau, cychod, a badau eraill ... **60**
lludw *(m)* ... 105
llurig *(f)* ... 30
llusgo ... 71
llwy *(f)* ... 20
llwybig wridog *(f)* ... 87
llwyfan *(m/f)* ... 50
llwyfan danwydd ... 108
llwyfandir *(m)* ... 104
llwynog *(m)* ... 85
llwyth *(m)* ... 69
llwytho (i fyny) ... 70
llyfn ... 65
llyfr ysgrifennu *(m)* ... 33
llyffant *(m)* ... 77
llygad *(m/f)* ... 12
llygad cyfansawdd *(m)* ... 82
llygad y dydd *(m)* ... 91
llygoden *(f)* ... 70, 75
llygredd a chadwraeth ... **102**
llygredd aer *(m)* ... 102
llygredd golau *(m)* ... 103
llygredd sŵn *(m)* ... 102
llyn *(m)* ... 99
llyschwaer *(f)* ... 11
llysfrawd *(m)* ... 11
llysiau ... 23
llystad *(m)* ... 11
llysywen *(f)* ... 78
llyw *(m)* ... 59
macrell *(m)* ... 79
madfall *(f)* ... 77
maelgi *(m)* ... 79
maes parcio *(m)* ... 93
magnetig ... 65
mam *(f)* ... 10
mamaliaid ... **72**
mamba werdd *(f)* ... 77
mam-gu *(f)* ... 10
maneg ddur *(f)* ... 30
mantell *(f)* ... 30, 104
mantis gweddïol *(m)* ... 82
maracas ... 47
marchog canoloesol *(m)* ... 30
marchogaeth ... 41
marlyn glas *(m)* ... 78
masg *(m)* ... 36
masg deifio *(m)* ... 36
mast cyfathrebu *(m)* ... 66
mast radio *(m)* ... 67
mathau o lygredd ... **102**
Mathemateg ... 33
Mawrth ... 106
meddal ... 16, 65
mefus ... 26
meicroffon *(m)* ... 50
meindwr *(m)* ... 67
melon dŵr *(m)* ... 27
melys ... 16
menig ... 29
Mercher ... 106
mesuriadau ... **111**
mesurydd parcio *(m)* ... 94
meteor *(m)* ... 107
mewngofnodi ... 71
mewnosod ... 71
milfeddyg *(m)* ... 34
mimosa *(m)* ... 89
minarét *(m)* ... 67
miniog ... 16
mochyn cwta *(m)* ... 75
mochyn daear *(m)* ... 84
model *(m)* ... 42
modiwl rheoli ... 108
modiwl rheoli yn y siwt ofod ... 108
modryb *(f)* ... 11
modur *(m)* ... 63
moddion *(m)* ... 21
momentwm *(m)* ... 68
moped *(m)* ... 55
môr *(m)* ... 98, 105
morddwyd *(f)* ... 14
morfarch *(m)* ... 80
morfil glas *(m)* ... 80
morgath neidiol *(f)* ... 78
morgi *(m)* ... 79
morgi mawr gwyn *(m)* ... 78
morgi morfilaidd *(m)* ... 80
morgi'r Ynys Las *(m)* ... 80
morgrugyn *(m)* ... 83
môr-lawes enfawr *(f)* ... 80
morlo *(m)* ... 80
moron ... 26
morthwyl *(m)* ... 37
mosg *(m)* ... 67
mosgito *(m)* ... 83
mwnci *(m)* ... 72
mwsogl *(m)* ... 91
mynd i fyny! ... **55**
mynydd *(m)* ... 98
nadroedd ... **77**
nain *(f)* ... 10
nant *(f)* ... 99
neidio ... 41
neidr fôr *(f)* ... 80
neidr gwrel *(f)* ... 77
Neifion ... 107
neis ... 16
nendwr *(m)* ... 67
neuadd y dref *(f)* ... 93
nionyn *(m)* ... 26
niwlog ... 100
nodi safle ... **115**
Nodi tymheredd ... **101**
nodweddion tirwedd ... **104**
nofel *(f)* ... 42
nofio *(m)* ... 39
nwy naturiol *(m)* ... 63
nwyddau tŷ ... **20**
nyrs *(m/f)* ... 35
octopws *(m)* ... 80
octopws dumbo *(m)* ... 80
oer ... 16, 101
ofnus ... 17
offer a dillad gwaith ... **36**
offer anadlu *(m)* ... 37
offer glanio ... 58
offerynnau allweddell ... **46**
offerynnau cerdd ... **46**
offerynnau chwyth ... **46**
offerynnau llinynnol ... **47**
offerynnau taro ... **47**
olew *(m)* ... 63
olew wedi gollwng *(m)* ... 103
olewydden *(f)* ... 89
olwyn *(f)* ... 69
olwyn *(f)* ... 69
olwyn ac echel ... 69
omled *(m/f)* ... 25
oposwm *(m)* ... 85
orenau ... 27
organ *(f)* ... 46
organau ... **15**
pabell groen *(f)* ... 18
pabi *(m)* ... 90
pad braslunio *(m)* ... 45
pad lansio ... 108
pad ysgrifennu *(m)* ... 33
padell ffrio *(f)* ... 20
padell pen-glin *(f)* ... 14
paëla *(m)* ... 24
paent dyfrlliw ... 45
paent olew *(m sing)* ... 45
pafin *(m)* ... 94
pagoda *(m)* ... 66
pangolin *(m)* ... 73
pâl *(m)* ... 87
palas *(m)* ... 67
palet *(m)* ... 45
palmwydden *(f)* ... 88
panther *(m)* ... 73
papur *(m)* ... 64
parot *(m)* ... 75
past dannedd *(m)* ... 21
pasta *(m)* ... 23
pasteli ... 45
pathew *(m)* ... 85
paun *(m)* ... 86
peipen anadlu *(f)* ... 36
peipen ddŵr *(f)* ... 37
peiriannau fferm ... **97**
peiriannau syml ... **69**
peiriannydd *(m)* ... 34
peiriannydd sain *(m)* ... 50
peiriant glanio ar y lleuad *(m)* 109
peiriant jet *(m)* ... 59
peiriant turio o'r cefn *(m)* ... 56
peithon *(m)* ... 77
peithwellt *(m)* ... 91
pêl fas *(m)* ... 38
pêl foli *(m)* ... 38
pêl-droed *(m)* ... 38, 42
pelenni cig ... 24
pêl-fasged *(m)* ... 39
peli jyglo ... 42
pelican *(m)* ... 87
pen *(m)* ... 13, 83
pen blaen *(m)* ... 61
pen-cogydd *(m)* ... 35
penelin *(m/f)* ... 13
pen-glin *(m)* ... 13
penfras *(m)* ... 79
penglog *(f)* ... 14
pengwin *(m)* ... 87
penhwyad *(m)* ... 79
pensaer *(m)* ... 34
pensil *(m)* ... 33
petal *(m)* ... 91
piano *(m)* ... 46
pibau Pan ... 46
pibell wynt *(f)* ... 15
pigwrn *(m)* ... 13
pilcodyn *(m)* ... 79
piler *(m)* ... 67
pils ... 21
pinwydden *(f)* ... 88
pirana *(m)* ... 79
pitsa *(m)* ... 24
pladur *(f)* ... 97
plastig *(m)* ... 64
plastrau ... 21
plât rhif *(m)* ... 54
pledren *(f)* ... 15

plismon *(m)* 35
plismones *(f)* 35
pob math o blanhigion 90
pob math o ddeunyddiau 64
pob math o ddillad 30
pob math o fwyd 24
pob math o siopau 95
pob math o waith 34
poeth 16, 101
pont grog *(f)* 67
pont yr ysgwydd *(f)* 14
pop 48
popty *(m)* 19
porciwpein *(m)* 85
pori 70
portread *(m)* 44
portwll *(m)* 61
pos jig-so *(m)* 42
pren *(m)* 64
pren bara *(m)* 20
pren mesur *(m)* 33
pres *(m)* 65
prif gebl *(m)* 67
prif gwrs *(m)* 25
prif lamp *(f)* 54
priodweddau deunyddiau 65
prosiect *(m)* 33
pryf bach *(m)* 82
pryf brigyn *(m)* 82
pryfed a thrychfilod bach 82
pryfyn clust *(m)* 83
pupurau 26
pwdin *(m)* 23, **25**
pŵer gwynt *(m)* 62
pŵer trydan dŵr 62
pwli *(m)* 69
pwmpenni 26, 96
pycsen *(f)* 83
pys 26
pysgod 78
pysgodyn *(m)* 23
pysgodyn hedegog *(m)* 80
pysgodyn yr anenomi *(m)* 80
raced *(f)* 42
racŵn *(m)* 85
rap *(f)* (to eat) 24
rap (music) 49
reggae 49
reis *(m)* 23, 96
rhaca *(m)* 97
rhaeadrau *(f pl)* 99
rhaff *(f)* 69
rhaff offer 108
rhagfur *(m)* 66
rhaglen chwaraeon 53
rhaglen ddogfen am natur 53
rhaglen gemau 53
rhaglen newyddion 53
rhaglenni teledu a ffilmiau 52
rhanbarth pegynol *(m)* 99
rhannau afon 99
rhannau car 54
rhannau coeden 89
rhannau llong 61
rhannau planhigyn blodeuol 91
rhannau pysgodyn 79
rhaw *(f)* 97
rhedynen *(f)* 91
rheilffordd halio *(f)* 55
rheolwr llwyfan *(m)* 50
rheolwraig llwyfan *(f)* 50
rhewlif *(m)* 98
rhewllyd 101
rhifau 110
rhinoseros *(m)* 72
rhisgl *(m)* 89
rhôl fara *(f)* 24
rholiwr *(m)* 56
rhos *(f)* 99
rhosmari *(m)* 89
rhosyn *(m)* 90
Rhufeiniwr hynafol *(m)* 30
rhwyfo 41
rhwyll flaen *(f)* 54
rhwymyn *(m)* 21
rhyfelwr samwrai Japaneaidd *(m)* 30
robin goch *(m)* 86
roc 48
roced *(f)* 108
rwber *(m)* 33, 64
rygbi *(m)* 38
sacsoffon *(m)* 46
Sadwrn 107
Saesneg 33
saethu 41
saethwr *(m)* 39
saethwraig *(f)* 39
saethyddiaeth *(f)* 38
safle bysiau *(m)* 94
salad *(m)* 25
salad ffrwythau *(m)* 25
salamandr *(m)* 76
sanau 29
sandalau 30
sardîn *(m)* 79
sari *(m/f)* 31
sawdl *(f)* 13
sbageti *(m)* 25
sbaner *(m/f)* 37
sbatwla *(m)* 20
sbortscar *(m)* 54
sebon *(m)* 21
sebra *(m)* 73
seiclo *(m)* 38
seiniwr *(m)* 63
seren *(f)* 107
set *(f)* 50
sganio 71
sgarff *(f)* 29
sgerbwd *(m)* 14
sgert *(f)* 29
sgio 41
sglefren fôr enfawr *(f)* 80
sglefrio 41
sglefryn y dŵr *(m)* 82
sgleiniog 65
sglodion 23
sgorio 39
sgorpion *(m)* 84
sgrin *(f)* 70
sgrin fonitro *(f)* 50
sgrolio 71
sgubor *(f)* 97
sgwrsio 70
siaced *(f)* 31
sialc *(m)* 45
siampŵ *(m)* 21
siapiau 114
siarcol *(m)* 45
siart wal *(f)* 32
sied odro *(f)* 97
siediau peiriannau 97
sielo *(m)* 47
sili-don *(m)* 79
simnai *(f)* 19
sinc *(f)* 19
sinema *(m/f)* 93
siocled *(m)* 23
siocled poeth *(m)* 22
sioe siarad 53
sioncyn y gwair *(m)* 83
siop anifeiliaid anwes *(f)* 95
siop anrhegion *(f)* 95
siop bapur newydd *(f)* 95
siop deganau *(f)* 95
siop ddillad *(f)* 95
siop esgidiau *(f)* 95
siop fara *(f)* 95
siop flodau *(f)* 95
siop fferyllydd *(f)* 95
siop gornel *(f)* 94
siop losin *(f)* 95
siop lyfrau *(f)* 94
siop lysiau *(f)* 94
siop y cigydd *(f)* 95
siorts 29
sitar *(m)* 47
siwt *(f)* 31
siwt gwrth-dân *(f)* 37
siwt ofod *(f)* 108
siwt wlyb *(f)* 36
sosban *(f)* 20
sosban stemio *(f)* 20
spwng *(m)* 21
stablau *(f)* 97
stadiwm *(m)* 93
starn *(f)* 61
stêc *(f)* 24
stondin bapurau newydd *(f)* 94
storm lwch *(f)* 101
storm *(f)* o fellt a tharanau 101
stumog *(f)* 13, 15
styffylwr *(m)* 33
sudd ffrwythau *(m)* 22
sur 16
switsh *(m)* (i ffwrdd) 63
switsh *(m)* (ymlaen) 63
swnllyd 16
swyddfa *(f)* 92
swyddfa bost *(f)* 94
sycamorwydden *(f)* 89
sychwr ffenest *(m)* 54
symbalau 47
Symbolau cylchedau trydanol 63
syn 17
synagog *(f)* 66
synhwyrau a theimladau 16
syntheseisydd *(m)* 46
syrffio 70
system cynnal bywyd *(f)* 108
tabla 47
tacsi *(m)* 55
tad *(m)* 10
tad-cu *(m)* 10
taflu 40
taid *(m)* 10
talcen *(m)* 12
tambwrîn *(m)* 47
tanc aer *(m)* 36
tancer *(m)* 60
tapas 25
tapestri *(m)* 45
taro 40

tarsier *(m)* 85
tarw dur *(m)* 56
tatws 23, 27, 96
tawel 16
te *(m)* 22
te gwyrdd *(m)* 22
technegydd camera *(m)* 50
Technoleg 33
tegeirian *(m)* 90
tegell *(m)* 20
tei *(m/f)* 31
teiar *(m)* 54
teimlydd *(m)* 82
teipio 71
teisennau bach 25
teithio yn y gofod 108
teits 29
teledu *(m)* 19
teledu, ffilm, a theatr 50
telyn *(f)* 47
teml *(f)* 66
tennis *(m)* 38
tetra neon *(m)* 79
teulu a ffrindiau 10
thoracs *(m)* 83
tipi *(m)* 18
tirlun dyfrlliw *(m)* 44
tirweddau a chynefinoedd 98
tiwlip *(m)* 90
tiwna *(m)* 78
to *(m)* 19, 66
toffw *(m)* 25
toga *(m)* 30
toiled *(m)* 19
tomatos 26
top tracwisg *(m)* 29
torri 71
tortsh ddiddos *(f)* 36
tractor *(m)* 97
traeth *(m)* 105
trefi a dinasoedd 92
treic *(m)* 59
trên *(m)* 55
trist 17
troed *(f)* 13
troslath *(f)* 60
trowynt *(m)* 101
trwmped *(m)* 46
trwyn *(m)* 12
trydariad *(m)* 70
tryloyw 65
tsieni *(m)* 64
tu mewn i'r corff 14
tudalen gartref *(f)* 70
twll du *(m)* 107
tŵr *(m)* 67
tŵr silwair *(m)* 97
twrci *(m)* 75
twym 101
tŷ ar bileri *(m)* 18
tŷ bwyta *(m)* 93
tŷ crwn *(m)* 18
tŷ fferm *(m)* 97
tylluan wen *(f)* 85
tynnu 68
tyrban *(m)* 31
tyred *(m)* 66
tyrnsgriw *(m)* 37
tywydd 100
uned symud ddynol *(f)* 108
wagen fforch godi *(f)* 56
walrws *(m)* 80
wedi cynhyrfu 17
wedi diflasu 17
wedi drysu 17
whilber *(f)* 97
wi-fi *(m)* 70
winwnsyn *(m)* 26
wok *(f)* 20
Wranws 107
wyau 23
wyneb *(m)* 12
y cyhydedd 101
y Ddaear 106, **104**
y gog *(f)* 86
y gwcw *(f)* 86
y Llwybr Llaethog *(m)* 107
y misoedd 112
y tu mewn i afal 27
Y tu mewn i losgfynydd 105
y tu mewn i'r ddaear 104
ychen yr afon *(m)* 74
ymbelydredd *(m)* 102
ymennydd *(m)* 15
ymerodres Japaneaidd *(f)* 30
ymladdwr tân *(m)* 37
ymlusgiaid ac amffibiaid 76
yn chwerthin 17
yn eira i gyd 100
yn rhewi 101
yn y wlad 96
yn yr ysgol 32
yn yr ystafell ymolchi 21
ynni a phŵer 62
ynni geothermol 62
ynni llanw *(m)* 62
ynni niwclear *(m)* 63
ynni solar *(m)* 62
yr Haul 106
ysbyty *(m/f)* 92
ysgol *(f)* 92
ysgwydd *(f)* 13
ysgyfant *(m)* 15
ystafell fyw *(f)* 19
ystafell wely *(f)* 19
ystafell ymolchi *(f)* 19
ystlum fampir *(m)* 84
ywen *(f)* 88

Mynegai Saesneg • *English index*

abdomen 83
absorbent 65
acid rain 103
action and adventure 52
actor 50
air pollution 102
air tank 36
aircraft 58
alligator 77
ambulance 57
amphibians 76
amphibious vehicle 57
anchor 61
ancient Roman 30
anemone 80
angelfish 79
angry 17
animal pen 97
ankle 13
ant 83
antenna 82
aphid 83
apple 27
apple (tree) 89
apron 31
archery 38
architect 34
arm 13
armadillo 85
Art 33, 44
artist's equipment 45
ash 105
astronaut 108
athletics 38
attachment 70
audience 50
aunt 11
avocados 26
axe 37
axle 69
back 13
back up 71
backhoe loader 56
badger 84
baker 95
balcony 67
baler 97
ballet 49
ballroom dancing 49
bamboo 91
bananas 27
bandage 21
bank 94
baobab 88
bar 69
bark 89
barn 97
baseball 38
basket 59
basketball 39
bat (animal) 84
bat (for games) 42
bath 19
bathroom 19, 21
bathroom cabinet 21
battery 63
beach 105
bed 19
bedbug 83
bedroom 19
beech 88
best friend 11
bicycle 55
bioenergy 62
biplane 58
birds 86
black hole 107
blackbird 86
bladder 15
blog 70
blouse 31
blue marlin 78
blue whale 80
board game 42
boats 60
body 13
bonnet 54
bookshop 94
boom 60
boot (car) 54
boots 29
bored 17
bow (boat) 61
bow (for an instrument) 47
bowl 40
brain 15
branch 89
brass 65
bread 23
breakdancing 49
breastbone 14
breastplate 30
breathing apparatus 37
bright 16
bronze 65
brother 10
browse 70
bud 91
budgerigar 75
builder 37
buildings and structures 66
bulb (light) 63
bulldozer 56
bumper 54
burger 24
bus driver 34
bus station 92
bus stop 94
butcher 95
butterfly 83
buzzer 63
cabbage 27
cable car 55
cactus 91
cafe 94
calculator 33
camel 72
camera 50, 108
camera operator 50
campervan 54
canoe 61
cap 28, 36
car park 93
car transporter 57
cardigan 28
carrots 26
cartoon 44, 53
carvings 66
castle 66
cat 75
catamaran 61
catch 41
cello 47
chair 19
chalet 18
chalk 45
chameleon 76
charcoal 45
chat 70
cheeks 12
cheese 23
cheetah 73
chef 35
chemist 95
cherries 27
cherry (tree) 89
cherry picker 56
chess pieces 42
chessboard 42
chest 13
chicken 24
chimney 19
chin 12
china 64
chipmunk 73
chips 23
chocolate 23
chopping board 20
chopsticks 20
church 67
cinema 93
cities 92
city hall 93
clapperboard 50
clarinet 46
classical music 48
click 71
cliff 105
cloak 30
clock 32
clogs 31
clothes 28, 30
clothes shop 95
cloudy 100
coach 55
coal 63
cockerel 75
cockpit 59
cockroach 83
cod 79
coffee 22
cold 16, 101
collarbone 14
colourful 16
colours 114
column 67
combine harvester 97
comedy 52
command module 108
communications mast 66
communications satellite 109
composting 103
compound eye 82
computer 70
computer actions 71
computers and electronic devices 70
confused 17
connect 70, 71
conservation 102, 103
constellation 107
control bar 58
control handle 108
convenience store 94
cooker 19
cool 101

copper ... 65
coral snake ... 77
core ... 27
costume ... 50
cottage ... 18
cotton ... 64
cotton wool ... 21
country ... 96
coursework ... 33
cousins ... 11
cow ... 75
crane ... 56
crater ... 105
cricket ... 39
crisps ... 23
crocodile ... 77
crops and vegetables ... 96
crown ... 30
crust ... 104
cuckoo ... 86
cucumber ... 27
cupcakes ... 25
curry ... 24
curtains ... 50
cut ... 71
cycling ... 38
cymbals ... 47
daddy long legs ... 82
daffodil ... 90
daisy ... 91
dance ... 48, 49
dancer ... 50
dandelion ... 91
days of the week ... 112
deck (boat) ... 61
deck (bridge) ... 67
deer ... 73
defender ... 39
delete ... 71
delivery van ... 57
desert ... 98
desk ... 33
dessert ... 23
dhow ... 61
digital camera ... 71
director ... 50
dive ... 40
diver ... 36
diving mask ... 36
dogfish ... 79
dolphin ... 80
dome ... 67
donkey ... 75
door ... 19
dormouse ... 85
double-bass ... 47
download ... 70
drag ... 71
dragonfly ... 83
dress ... 28
drinks ... 22
drums ... 47
duck ... 75
duck-billed platypus ... 73
dull ... 65
dumbo octopus ... 80
dumper truck ... 56
dust storm ... 101
DVD ... 42
eagle ... 87
ear ... 12
earphones ... 42
Earth ... 104, 106
Earth observation satellite ... 109
earwig ... 83
edit ... 71
eel ... 78
eggs ... 23
Egyptian cobra ... 77
elbow ... 13
electric drill ... 37
electrical circuit ... 63
elephant ... 72
email ... 70
energy and power ... 62
energy conservation ... 103
energy saving ... 103
engineer ... 34
English ... 33
envelope ... 59
equator ... 101
e-reader ... 71
estate car ... 54
estuary ... 99
eucalyptus ... 89
evergreen forest ... 98
everyday clothes ... 28
exam ... 33
excited ... 17
exercise book ... 33
eye ... 12
eyebrow ... 12
face ... 12
family and friends ... 10
fan ... 30
farm buildings ... 97
farm house ... 97
farm vehicles and machinery 97
father ... 10
feelings ... 16
fern ... 91
ferry ... 60
figs ... 26
file ... 33
film ... 50, 52
fin ... 79
fingers ... 13
fir ... 88
fire engine ... 57
fire station ... 92
firefighter ... 37
fireproof boots ... 37
fireproof suit ... 37
fish ... 23, 78
fish ... 78
fizzy drink ... 22
flamingo ... 87
flea ... 83
flesh ... 27
flipper ... 36
float ... 58
florist ... 95
flower ... 91
flute ... 46
flying fish ... 80
foggy ... 100
folk ... 48
food ... 22, 24, 25
foot ... 13
football ... 38, 39, 42
football boots ... 29
forces and machines ... 68
forehead ... 12
fork ... 20
forklift truck ... 56
format ... 71
fox ... 85
fractions ... 112
free kick ... 39
freezing ... 101
friction ... 68
fried tarantulas ... 25
friends ... 10, 11
frigate bird ... 87
frogs' legs ... 25
fruit ... 23, 26
fruit and vegetables ... 26
fruit juice ... 22
fruit salad ... 25
frying pan ... 20
fuel stage ... 108
fulcrum ... 69
funicular railway ... 55
funnel ... 61
galaxy ... 107
game show ... 53
games and leisure ... 42
games console ... 42
garage ... 19
gateau ... 25
gauntlet ... 30
Geography ... 33
geothermal energy ... 62
giant isopod ... 80
giant jellyfish ... 80
giant squid ... 80
gift shop ... 95
gill cover ... 79
giraffe ... 72
glacier ... 98
glass ... 64
glider ... 59
globe ... 33
gloves ... 29
goal ... 39
goalkeeper ... 39
goat ... 74
going up ... 55
gold ... 65
golf ... 39
goose ... 75
gorilla ... 73
graffiti ... 45
grandfather ... 10
grandmother ... 10
grapes ... 96
grasshopper ... 83
grasslands ... 98
grater ... 20
gravity ... 68
great white shark ... 78
great-grandfather ... 10
great-grandmother ... 10
green beans ... 27
green mamba ... 77
green tea ... 22
greengrocer ... 94
Greenland shark ... 80
grey wolf ... 84
guinea pig ... 75
guitar ... 47
gymnastics ... 38
habitats ... 98
hailstorm ... 101
hair ... 12
hair band ... 28

hammer 37
hamster 75
hand 13
handle 69
hang-glider 58
happy 17
hard 65
hard hat 37
harp 47
hat 29
hazardous waste 102
head 13, 83
headlight 54
hearing 16
heart 15
heavy goods vehicle 57
hedgehog 84
heel 13
helicopter 58
helmet 30, 37
helmeted hornbill 87
hen 75
hermit crab 85
heron 86
hill 104
hip 14
hippopotamus 72
History 33
hit 40
holly 89
home page 70
homes around the world 18
homework 33
honeybee 82
horror 52
horse 74
horse chestnut 88
hose 37
hospital 92
hot 16, 101
hot air balloon 59
hot chocolate 22
hotel 93
housefly 82
household objects 20
hovercraft 61
hull 58, 61
hummingbird 87
hydroelectric power 62
hydrofoil 60
ice cream 25
ice hockey 39
icy 101
igloo 18
iguana 76
insects and mini-beasts 82
insert 71
instruments 46, 47
intestine 15
iron 65
jacket 29, 31
Japanese empress 30
Japanese samurai warrior 30
jazz 48
jeans 28
jet engine 59
jigsaw puzzle 42
judo 39
juggling balls 42
jump 41
Jupiter 106
kangaroo 73
kettle 20
keyboard 70
keyboard instruments 46
kick 40
kidneys 15
kilt 31
kimono 30
kingfisher 86
kitchen 19, 20
kite 42
knee 13
kneecap 14
knife 20
koi 79
Komodo dragon 76
ladle 20
ladybird 83
lake 99
lamb 24
landing gear 58
landing skid 58
landscape features 104
landscapes and habitats 98
laptop 71
laughing 17
launch pad 108
lavender 89
lawyer 35
leaf 91
leaf stalk 91
leather 64
leaves 89
leg 13
leggings 28
leisure 42
lemon (tree) 89
lemons 26
lemur 84
lentils 23
leopard 72
lessons 33
lever 69
life support system 108
light pollution 103
lily 90
lion 73
liquid outer core 104
litter bin 94
liver 15
living room 19
lizard 76
llama 73
load 69
lobster 80
log off 71
log on 71
loud 16
lung 15
lunge 40
machinery sheds 97
machines .... 68 ,69
mackerel 79
magazine 42
magnetic 65
main cable 67
main courses 24, 25
maize 96
mammals 72
manned manoeuvring unit 108
manta ray 78
mantis shrimp 80
mantle 104
maracas 47
Mars 106
Mars rover 109
mask 36
mast 60
materials 64, 65
Maths 33, 111
measurement 112
meat 23
meatballs 24
medicine 21
medieval knight 30
medieval queen 30
memory stick 71
Mercury 106
meteor 107
microlight 59
microphone 50
milk 22
milking shed 97
Milky Way 107
mimosa 89
minaret 67
mini-beasts 82
minnow 79
mischievous 17
mixer truck 57
mobile phone 71
model 42
modelling clay 45
molten lava 105
momentum 68
monitor screen 50
monkey 72
months 112
moon 107
moon lander 109
moor 99
moped 55
mosque 67
mosquito 83
moss 91
moth 82, 84
mother 10, 11
motor 63
motor boat 60
motorbike 54
mountain 98
mountain-rescue dog 75
mouse (animal) 75
mouse (computer) 70
mouth 12
MP3 player 71
muscle 14
museum 92
Music 33
music and dance 48
music player 42
musical instruments 46
nasty 16
natural gas 63
nature documentary 53
nautilus 80
neck 13
neon tetra 79
Neptune 107
news programme 53
news stand 94
newsagent 95
newt 77
nice 16
nocturnal creatures 84

noise pollution ... 102
nose ... 12
novel ... 42
nuclear energy ... 63
number plate ... 54
numbers ... 110
nurse ... 35
oak ... 88
oats ... 23
ocean ... 98, 105
octopus ... 80
office ... 92
oil ... 63
oil paints ... 45
oil spill ... 103
ointment ... 21
olive (tree) ... 89
omelette ... 25
onion ... 26
opaque ... 65
opposites ... 115
oranges ... 27
orchid ... 90
organ ... 46
organs ... 15
ostrich ... 87
owl ... 85
paddle ... 41
paella ... 24
pagoda ... 66
paintbrush ... 45
palace ... 67
palette ... 45
palm ... 88
pampas grass ... 91
pancakes ... 25
pangolin ... 73
panpipes ... 46
pansy ... 90
panther ... 73
paper ... 64
parapet ... 66
parking meter ... 94
parrot ... 75
parts of a car ... 54
parts of a fish ... 79
parts of a flowering plant ... 91
parts of a ship ... 61
passenger jet ... 59
passenger vehicles ... 54
pasta ... 23
paste ... 71
pastels ... 45
pavement ... 94
peaches ... 26
peacock ... 86
pears ... 27
peas ... 26
pelican ... 87
pen ... 33
penalty ... 39
pencil ... 33
penguin ... 87
peppers ... 26
percussion instruments ... 47
pesticide poisoning ... 102
pet shop ... 95
petal ... 91
photograph ... 44
piano ... 46
pickaxe ... 97
pier ... 67
pike ... 79
pills ... 21
pine ... 88
pips ... 27
piranha ... 79
pivot ... 69
pizza ... 24
plaice ... 79
plain ... 104
planet Earth ... 104
plants ... 90
plasters ... 21
plastic ... 64
plateau ... 104
poison dart frog ... 77
polar bear ... 72
polar region ... 99
police car ... 57
police officer ... 35
pollution and conservation ... 102
pond skater ... 82
pop ... 48
poppy ... 90
porcupine ... 85
porthole ... 61
portrait ... 44
position words ... 115
possum ... 85
post box ... 94
post office ... 94
potatoes ... 23, 27, 96
power ... 62
praying mantis ... 82
print ... 71
printer ... 70
producer ... 50
project ... 33
propeller ... 58
properties of materials ... 65
proud ... 17
puff adder ... 77
puffin ... 87
pull ... 68
pulley ... 69
pumpkins ... 26, 96
push ... 68
python ... 77
quad bike ... 97
quiet ... 16
raccoon ... 85
racket ... 42
radiation ... 102
radiator grille ... 54
radio mast ... 67
rainforest ... 98
rainy ... 100
rake ... 97
rap ... 49
rapids ... 99
recycling ... 103
redwood ... 88
referee ... 39
reggae ... 49
reporter ... 35
reptiles and amphibians ... 76
restaurant ... 93
re-use ... 103
rhinoceros ... 72
ribs ... 14
rice ... 23, 96
ride ... 41
river ... 99
road ... 94
robin ... 86
rock (music) ... 48
rocket ... 108
roller ... 56
rollerblades ... 42
roof ... 19, 66
root ... 89, 91
rope ... 69
rose ... 90
roseate spoonbill ... 87
rosemary ... 89
rotor blade ... 58
rough ... 65
roundhouse ... 18
rowing boat ... 61
rubber ... 64
rubber (eraser) ... 33
rubber clogs ... 36
rudder ... 59
rugby ... 38
ruler ... 33
sad ... 17
sail ... 58, 60
sailboard ... 60
sailing dinghy ... 61
salad ... 25
salamander ... 76
salmon ... 79
salty ... 16
sandals ... 30
sandwich ... 24
sardine ... 79
sari ... 31
satellite dish ... 66
satellites ... 109
Saturn ... 107
saucepan ... 20
save (computer) ... 71
save (football) ... 39
saw ... 37
saxophone ... 46
scales ... 79
scalpel ... 36
scan ... 71
scared ... 17
scarf ... 29
scenery ... 50
school ... 32, 92
Science ... 33
science fiction and fantasy ... 52
score (goal) ... 39
scorpion ... 84
screen ... 70
screwdriver ... 37
scroll ... 71
sculpture ... 45
scythe ... 97
sea creatures ... 80
sea cucumber ... 80
sea snake ... 80
sea spider ... 80
sea turtle ... 80
seahorse ... 80
seal ... 80
seaplane ... 58
search ... 70
seashore ... 98
seasons ... 112
senses and feelings ... 16
shampoo ... 21
shapes ... 114

sharp 16
sheep 74
sheepdog 74
shin 14
shiny 65
ships, boats, and other craft 60
shirt 28
shoe shop 95
shoes 28
shoot (sport) 41
shops 95
shorts 29
shoulder 13
shower 19
shower gel 21
shrubs 88
shuttlecock 42
sieve 20
sight 16
silage tower 97
silly 17
silver 65
simple machines 69
singer 50
sink 19
sister 10
sitar 47
skate 41
skateboard 42
skeleton 14
sketch 44
sketch pad 45
ski 41
ski lift 55
skin 27
skip truck 57
skirt 29
skull 14
skunk 84
skyscraper 67
sloth 73
slug 84
small animals 75
smell 16
smoggy 100
smooth 65
snacks 24
snakes 77
snorkel 36
snow plough 57
snowmobile 57
snowy 100
soap 21
socks 29
soft 16, 65
solar energy 62
solar system 106
solid inner core 104
solid lava 105
soul 49
sound engineer 50
soup 24
sour 16
soybeans 96
space 107, 108
space probe 109
space shuttle 109
space station 109
space travel 108
spacesuit 108
spacesuit control module 108
spade 97
spaghetti 25
spanner 37
spatula 20
spell check 71
spine 14
sponge 21
spoon 20
sports 38
sports car 54
sports in action 40
sports programme 53
spotlight 50
squirrel 73
stables 97
stadium 93
stage 50
stage manager 50
stained glass 45
stapler 33
star 107, 114
star-nosed mole 73
steak 24
steamer 20
steel 65
stem 27, 91
stepbrother 11
stepfather 11
stepsister 11
stern 61
stick insect 82
still life 44
stilt house 18
sting 82
stinging nettle soup 25
stomach 13, 15
stone 65
strawberries 26
stream 99
street 94
street light 94
striker 39
stringed instruments 47
strut 59
sugar cane 96
suit 31
suit of armour 30
Sun 106
sunflower 90
sunny 100
supermarket 93
surf (Internet) 70
surgeon 36
surgical gown 36
surprised 17
suspender cable 67
suspension bridge 67
SUV 55
swallow (bird) 86
swamp 99
sweatshirt 28
sweet 16
sweet shop 95
sweetcorn 27
sweets 23
swimming 39
switch 63
swordfish 78
sycamore 89
synagogue 66
synthesizer 46
tabla 47
table 19
tablet 71
tail fin (aeroplane) 59
tail fin (fish) 79
talk show 53
tambourine 47
tanker 60
tap dancing 49
tapas 25
tapestry 45
tarsier 85
taste 16
taxi 55
tea 22
teacher 35
Technology 33
teeth 12
television 19
temperate climate 101
temperature 101
temple 66
tennis 38
tepee 18
text book 33
theatre 50
thigh 14
thorax 83
throw 40
thrusters 108
thunderstorm 101
tidal energy 62
tie 31
tights 29
time 112, 113
timetable 32
toad 77
toes 13
tofu 25
toga 30
toilet 19
tomatoes 26
tool belt 37
tool tether 108
toothbrush 21
toothpaste 21
top hat 31
tornado 101
tortoise 76
touch 16
tower 67
towns and cities 92
toy shop 95
tracksuit top 29
tractor 97
train 55
trainers 28
transparent 65
trees and shrubs 88
tributary 99
trike 59
tropical climate 101
trout 79
trumpet 46
trunk 89
T-shirt 29
tulip 90
tuna 78
turban 31
turkey 75
turret 66
turtle 76
TV shows and films 52
TV, film, and theatre 50, 52

tweet 70
type 71
tyre 54
uncle 11
upload 70
Uranus 107
valley 104
vegetables 23, 26, 96
vehicles 54, 56, 97
veil 31
Venus 106
vet 34
violin 47
visor 37
volcano 105
volleyball 38
vulture 87
waistcoat 31
wall chart 32
walrus 80
warm 101
wasp 82
water 22
water buffalo 74
water contamination 102
water lily 90
watercolour landscape 44
watercolours 45
waterfall 99
watermelon 27
waterproof 65
waterproof torch 36
wax 64
weather 100
weather satellite 109
wedding dress 31
weight belt 36
wet 16
wet suit 36
whale shark 80
wheat 96
wheel 69
wheel and axle 69
wheelbarrow 97
whiteboard 33
wi-fi 70
wind instruments 46
wind power 62
window 19, 67
windpipe 15
windscreen 54
windscreen wiper 54
wing 59
wing mirror 54
wire 63
wok 20
wood 64
woodland 98
woodpecker 86
wool 64
work 34
work equipment and clothing 36
working animals 75
working vehicles 56
world music 49
wrap 24
wrist 13
writing pad 33
yacht 60
yew 88
yoghurt 23
yo-yo 42
yurt 18
zebra 73

OXFORD
UNIVERSITY PRESS

Great Clarendon Street, Oxford OX2 6DP

Oxford University Press is a department of the University of Oxford. It furthers the University's objective of excellence in research, scholarship, and education by publishing worldwide in

Oxford New York Auckland Cape Town Dar es Salaam
Hong Kong Karachi Kuala Lumpur Madrid Melbourne Mexico City Nairobi New Delhi Shanghai Taipei Toronto

With offices in
Argentina Austria Brazil Chile Czech Republic France Greece Guatemala Hungary Italy Japan Poland Portugal Singapore South Korea Switzerland Thailand Turkey Ukraine Vietnam

All artwork by Dynamo Design Ltd.
Cover images: Dragon, John Gordon/Shutterstock.com. Magnifying glass, Vjom/Shutterstock.com. All others Dynamo Design Ltd.
Developed with, and English text by, Jane Bingham and White-Thomson Publishing Ltd.
Translated by Brenda Williams

British Library Cataloguing in Publication Data available

ISBN: 978 0 18 273563 8
10 9 8 7 6 5 4 3 2 1

Special edition ISBN: 978 0 19 273549 2
10 9 8 7 6 5 4 3 2 1

Printed in China